Ehrenstein, Alber

Wien

Ehrenstein, Albert

Wien

Inktank publishing, 2018

www.inktank-publishing.com

ISBN/EAN: 9783750118935

All rights reserved

ALBERT EHRENSTEIN

WIEN

ERNST ROWOHLT VERLAG
BERLIN

KIMPINK

Ich: Kimpink, Poseidons sausender Sohn,
Ich singe meinen urewigen Strom,
Die ehern berstenden Wellen,
Den manischen Mond,
Sterne ertrinkend im Frührot,
Waldhaufen getürmt auf den Hängen
Und die wirren Bergwiesen.

O ihr blauen Wachauen der Donau,
Gelbgrüner Fluß,
Ihr Argonautengeister, gelagert am Ister,
Vetter Achilleus, Schattenläufer, Ephebe,
Gleitend über meine und deine Trauminsel Leuke.

Blanker Aal, du mein Strom,
Gestreckt vom Weingebirg ins Schwarzmeer —
Ich liebe dein Wasser,
Ich liebe dein Land.

Grüne Uferbüsche hat die Böschung,
Kinder atmen den wehenden Wind,
Marillenwangen spielen um Kürbiskerne,
Große Sandbauten geschehen am Strand.

Wenn ich die Wellen durchschnelle,
Reitend auf dem schnellsten der Welse,
Hechtschneller als ein spurtender Achter —
Um den Hals die Schaumkrause mir Flutfürsten zujauchzt.

Wenn eidotterrot die kleine Großsonne
Durchscheint durch die Rauchsäule des Dampferschornsteins —

5

So rage auch ich in die Luft:
Mich labt's, am linden Gelände der Lenden zu landen,
Beruhend einer Nymphe elegische Glieder.
Im Binsenröhricht stöhnt die verlassne Dryade —
Mein Anker torpediert eine Czechoslowakin,
Die brusttoll zur ewigen Amme unter mir
Blüht im Obstboot auf Maschanzkeräpfeln.

Weh, daß auch euch Sterblichen Strahl entstürzt des Lebens —
In neun wild wachsenden Monden
Hinfällig ein Same sich zur Sonne krümmt.
Zigarettenkurz euer Tag verraucht in der Pfeife,
Die der steinerne Tod lakonisch ausklopft.

Mit meiner blauen Wal-Otter spielend,
Nicht recke ich die schuppige Faust
Gegen das müheselige Floß im reißenden Fluß,
Gegen den unermüdeten Ruß
Der menschenlaichenden Städte.
Forellen im Sumpf —
Nicht kennt ihr den Sturmsee!
Weisheit quakend wie die alten Frösche,
Wohnend im Argwohn,
Traurig ist eure Nacht.
Ich lache Winterorkane über eure Klöster und Krane,
Baggermaschinen und Dampfvulkane.
Unter den rabenumschwärzten Raubritterruinen
Blitzt mein Indianerkanu,
Wenn längst eure Knochenmontur klafft.

6

O meine Wälder, wild durchheult von Manen-Barbaren,
Germanen, erschlagen vom Bierkrug —
Mit den Stromwellen
Reißt's mich vorbei an euren scheuen Kapellen,
Nachts erleuchtet von Sylphen,
Umtanzt von den heiligen Elfen Mariä.
Irrlichter bewimmern den Weg.
Tauregen fällt: der Weiher des Weizens.
Die grauen Dämmerungsreiher des Stromes
Umflattern nachttappend, kriegkreischend den
Hohlen Baum, behaust vom eiersaufenden Bartzwerg.
Nicht feit dem Bienenkönig die Flucht
Sein Zaubergürtel aus Schilfschlangenhaut.
Vergebens verschwimmt er vor dem Zickzack der Schnäbel,
Reitend auf Nebelrehen.
Schwarzbraun gesengt von der endlichen Sonne,
Das graue Haar verfilzt, beblutet,
Stirbt er in die Zille der Rettungsgesellschaft.
Ein altergeblendetes Uferbaumtier,
Schwimmhäute zwischen dem Gefinger der Zehen,
Verhungernd nach dem Gewölk greift;
Dann klagt's sich, ihm die Totenklage.

Dürrenstein und Löwenherz —
Ihr schwandet hin wie Wachs und Erz.
Rochenaug und Haifischzahn
Sind mir ewig untertan.
Menschen sterben,
Strom ist Ring,
Die Gottwoge Wasser
Bin ich: Kimpink.

KIND

(Frei nach Petronius und Heinse)

Zu Ende dein Spielen.
Es fielen
Die Locken
Dein allgoldnes Gelock.
So rauh abschüttelt Raubwind
Frühlings silbrige Zier,
Lenzliches Blütengeflock.
Stirn, deine Strahlenzier
Herabgefallen! Dir entwallen
Die Flaumlocken, die Flocken.

Lichthaar sank zu den Schatten.
Ach, die Schläfchen so kahl!
Die mit Sonnenlocken sonder Zahl
Ins Glück verzückt uns hatten!

Weh, warum welken die Nelken?
Weh, warum geschieht und verweht alles Geschehn?
Warum, ihr Götter, muß das Schöne so geschwind
Vergehn?

Kaum ist die Knospe zur Rose geboren,
Frühlingskind,
Hat von e i n e r Sonne
Sie die Schönheit verloren.

8

Nackter als Erz oder ein Schwämmlein,
Das im Regen aufwächst, kahlt dein Scheitel.
O, wie dich eitel die Mädchenrotten verspotten!
Schüchtern vor Leiden, weinerlich wirst du sie meiden.
Schon das Schönste vom Schöpfchen ist dir gestorben.
Siehst du, lieber Knabe, den Tod?

MUTTER

Die Nacht ist lang.
Du bist mein weißer Weihnachtsbaum,
Vom reinen Stern entzündet;
Du leuchtest still den Schnee zum Traum,
In den der Zeiten Winter mündet.

Du bist meine einzige Heimat!
Du bist mein Weib:
Gott, Himmel: Zwischenraum,
Der dieser Welten Raum,
Die Teufelshölle: Raum
Menschlich überwindet.

Der Same fließt in bessere Zeit;
Heilig, selig ist dein Opferleib,
Verwundet Mädchenkind, das sich zur Mutter rundet.
Deine Krippe ist gebenedeit:
Messias schläft in jeder Wiege,
Gottverbündet.

10

SCHNEE SCHWEIGEN DIE STERNE

Wenn ich durch die grünen Gottwälder gehe,
Erhebt der versunkene Baum sein Gesicht,
Mich zu grüßen.

Der Wind, der Berührer, Verführer des Laubs
Lüftet die Welt mir.

Sonne und Mond vermählen ihr Licht.
Die Sterne schweigen ins All.

BEICHTE

Ich möchte meine Liebe ausgießen
Über alle Männer und Frauen,
Ich möchte mein Herzblut ausschütten
Für alle Kinder des Seins.

Endlos bin ich verstrickt.
Ich bin ein Seelsünder, Verräter,
Die Heiligen wissen mein Fehl.
O schlaget an euere Brust,
Ich bekenne:
Gott ist ewige Lust.

STERBEN

Geld — dieser Kies ist auseinandergeweht,
Ruhm — welkes Blatt, das im Herbstwind sich bläht.
Liebe verleuchtet im Wetterlichtschein . . .
O, welches Glück — nimmer zu sein!

Ich habe über mich das Kreuz gemacht.
Ich bin ein alter Friedhof
Mit Sorgensteinen grau und gram.
Mich waschen fort die Wasser meiner Augen.

Ich habe keinen Wunsch.
Tief ist der Wald,
Tief ist der Fluß,
Tiefer das Grab.

UNTERGANG

O Abend im Grau,
Nacht tränenverwacht!

Die Bäume sind grün,
Ich bin es nicht mehr.

Der Morgen ging hin,
Das Dunkel ist schwer.

ZUKUNFT

Ich habe keine Freunde.
Allein wohn ich im Strom.
Lämmer weiden auf dem Friedhof.
Dort schlaf ich morgen schon.

OTTAKRING

Groß war der Himmel und ich war klein und kein Gott.
Da fuhren die Messer des Zweifels
In mich.

Keusch litt ich als Knabe.
Ich habe niemals „Fut" an die Planken geschrieben.

Ich liebte die Erde, ich liebte die Welt.
Aber das Weib
Ist mir ins Gesicht gefahren
Mörderisch.

Ich bin gegangen an das Ufer des Meeres,
Brüderchen,
Mich im Salz zu ertränken.
Aber das Salzmeer hatte nicht Wasser genug,
Seicht und untief schlug es nur Schaum
Um meinen Schmerz.

Ich habe gelogen,
Ich habe betrogen,
Es war nur Zufall,
Daß ich nicht mordete.

Meine graue Nebelseele gleitet,
Reitet auf dem weißen Tränenrosse
Durch des Waldes grüne Wellen
In des Todes roten Morgen.

16

STADTPARK

Liebst auch du den Strand,
Wo meine Seele
Mit roten Drachenadlern
Um die Wette flog?

Schöner Sand ist dort zum Bauen,
Auf dem Wasser schwimmen Schwäne,
Enten rufen ihre Jungen,
Und eh dich ein Weh bezwungen,
Eine gute Stimme spricht:

„Horch, noch geht um dich kein Wind.
Schlafe tief,
Der Weg ist blind!"

WIENER FREYUNG

Ihr nächtigen Häuser der Freyung,
Weltwiesen am stillen See,
Versteinter Waldwinkel der Stadt,
Tief verpuppt in Schlaf!

Lang lebe, verzauberter Kirchturm!
Ich gehe die Zeit,
Und komme ich wieder zur Erde,
Will ich bei dir sein als Haus!

CENTRALFRIEDHOF

Ins Dunkel neigt sich gern mein Weg.
Oft irrt meine Seele
Abprallend von den eckigen
Marmorsteinen des Friedhofs
Wundgestoßen, klagend
Zwischen den Gräbern einher,
Den toten künftigen Nachbarn,
Entweicht verblassend vor dem Moder der Erde
Ins Fliedergehölz der dämmernden Nacht.
Urnen bequemt sich mein Sinn.
Leicht entgleitet zwischen den Fingern mir meine Asche,
Streusand der Winde.
Oder werden Bruderschaft trinken aus mir die Algen,
Bruderschaft fressen die Fische des goldenen Meeres?
Genehm auch wäre mir dies,
Denn gleichgültig ward mir der Erdball,
Er entgleitet mir zwischen den Fingern.

DER TROST STETS NUR BEIM TRÖSTER BLEIBT

Ist es die Nacht, die sich schon nieder neiget,
Zerreißt mich bald mein wildes Herz?
Vom Tode sprach ein weißes Haar.
Nicht halten Götter ihn im Gange auf.

Die Uhr zu schlucken und ewig zu werden,
Gelang noch keinem. Drum glaub ich an ein Mädchenkleid,
Zerbrösle dumpf die gute Zeit.

Verliebt in zart tanzenden Gang,
Witternd weiße Ruhe, Gefilde köstlicher Haut,
Sing ich: „Wenn ich deine Augen fange,
In deinem milden Garten schlaf ich lange."

Durchtöne ich im Sonnenfieber
Die kriegentmenschten Donau-Auen,
Gern strauchelnd auf dem müheschweren Weg zu Gott
Von einem Walde weiß ich schön zu träumen,
Der Regen naht mit nasser Stirn,
Leuchtkäfer irrlichtern zickzack durch die duftende Luft.

Umspinnt mich dann mit altem Tag die steinerne Stadt,
Zerrinne ich in Trauer:
Der Trost stets nur beim Tröster bleibt —
In Frauen, Wald, Gott, Sonne und Leuchtkäfern.

20

VERLASSEN

Wo ich auch umgeh,
Tut mir das Herz weh,
Sie hat mich verlassen.

Wenn ich herumsteh,
Bald hier, bald da geh,
Ich kann es nicht fassen.

Mein Lieb, du mein Weh,
Du mein Kind, du mein Reh,
Hast mich wirklich verlassen?

DER OBER

Ich Jean Czernohlavek, Großzahlmarqueur und
Erboberkellner vom Café Sonett,
Bin ein armes Hascherl.
Ins Untergymnasium ließ man mich gehen,
Doch von den Stiefeln wich die Wichse,
Es kam Konkurs.
Nun steh ich hier und leide
Abzüge, wenn Gebäck fehlt.
Andere sagen's, ich aber fühl es,
Wie sehr nach Salz das fremde Brot schmeckt!
Und ewig kommen Gäste.
Monokel zerschellen der schielenden Schieber;
Knaben, die noch ihr Bett beschlafen, schleichen
Her, mit den sehnenden Augen bestreichen
Sie die zweischenkligen Mädchen. Schlürfenden Blicks.
Bartfrohe danken schon den Göttern, die ihnen
Die sanften Gruben gruben,
Der breiigen Weiber, die sich gern unterbreiten.
Wie Schmutz liegen unter den Augen ihnen grau
Die süß verbrachten Nächte.
Was haben wir davon?!
Höchstens pumpen sie mich an,
Die Schlankeln, die Literaten,
Die in Manuskripten hausieren.
Ich bin halt doch ein guter Kerl!
Ich freue mich mit den liebenden Augen,
Ich freue mich mit den Gewinnern der Spiele,
Ich freue mich mit den sanft tuenden Dieben,

12

Wenn sie nach langer Mühe geerntet haben den Pelz.
Hie und da schwillt von der Stadtbahn her
Der ruhmredige Pfiff einer Lokomotive.
Dann möcht ich ins Freie.
Schön wär's schon in Ischl oder Aussee
Eine Filiale zu haben, pardon, ein eignes Café.
Doch nicht von dieser Welt ist mein Reich,
Ich komme sofort, bitte sehr, bitte gleich!

MÜD

Die du mich nicht willst,
Hunger der Zartseele nicht stillst,
An meinem Weh in kleinem Witz
Vorüberziehst zertretenden Tritts,
Mich Armen lässest im Leid vergehn,
Kummer will mich im Wind verwehn.

Auf Erden Beschwerden,
Ich finde kein du,
Wo die Stern sind,
Und wo die Sonn ist,
Himmelt die Ruh.

24

HEIMKEHR

Wo sind deine alten Wellen, o Fluß,
Und wo sind euere runden Blätter,
Ihr Akazienbäume der Jugend,
Und wo der frische Schnee der verstorbenen Winter?

Heim kehr ich und finde nicht heim.
Es haben die Häuser sich anders gekleidet,
Schamlos versammelt sind sie zu unkenntlichen Straßen,
Es haben die zopftragenden Mädchen meiner scheuesten Liebe
Kinder bekommen.

BLIND

Tag um Tag
Stirbt — ich bin?
Wo geht meine Zeit denn hin?

Traum versank,
Nacht ist Spiel,
Schlaf das Gut,
Tod das Ziel.

Erde, Stern
Klingt nur so,
Ort ist Ort, wer weiß wo?

26·

STRAFE

Kaum im Raum,
Und schon für kurze Freuden
Mußt ich im Schlafe leiden
Wohl einen schwarzen Traum:
Ich lag auf meinen Steinen,
Wo Weiden Trauer weinen,
Sah Schiff' vorübertreiben . . .
Ein Boot glich einem Baum.
Im Winde ward mir weher,
Der Kahn, der kam mir näher,
Und starb zum Sarg im Nu.
Schilfmüde trieb er träger,
Hinglitt ich selbst zur Ruh;
Ich barg mich, sank im Sarge.
Im Wasser strich die Spur.

27

GEWITTER

Zwielichtrauschen.
Ein ungetümes Sausen
Sticht fassungslosen Raum,
Über Schlammruhe rast ein Brausen,
Sturmwindes Wipfelhausen
Schlug Blattwald zu Schaum.

Weiß hagelt Himmelhöllentausendschlitz.
Alpschwer zornbrüllt Urdonner;
Durch Wolken: Nebelkröten
Fern fährt Gelbaderblitz,
Bis sich, unmenschlich irres Töten!
In Feuerflammennöten
Zu Fackeln Bäume röten.

DONAULAND IM KRIEG

Sturmsatter Berg; von matten Gräsern
Grüßt Fugenwind im Verwitterhaus.
Glocken betäuben kahle Kirchen,
Und Tag und Abend fallen aus.

Nicht fühl ich, was Fahldämmerung benachtet,
Urzwielicht nie im Nebel bebt.
Lawine schmilzt schnell zur Ruine,
Grauleich nach weißem Sterben strebt.

Unter dem Wanderer murren Steine,
Die Äste winken seinem Hals;
Viel Fliegen auf dem gelben Schädel
Im Beinhaus weint der Tod beim Weine.

29

DIE GÖTTER

Ein gebeugtes Hungertier,
Bettler vor den Tischen,
Im Krampf der ewig hohlen Hände
Ersehnt ich Mädchenlende.

Müde dann bachstelzenden Hurengangs
Einer leicht Fertigen,
Schlammstatue auftauchend aus Schlaf,
Fleht ich zu Reinen.

Aber die Göttinnen,
Lichtumgossen, duftbeseelt,
Blumen, die den Nachttau trinken,
Die Herzverehrten
Gesellen sich lieber den Zwirbelbärten.
Kein Segel blüht mir im Winde.

Und Sturm ward. Meine Freunde,
Die Haare verschnitten, die Füße vereist,
Dem Werk entritten, leibverlöteter Geist,
Stallwachend berichen Roßäpfel zur nächtlichen Stunde
Oder verstummt in Verstümmlung,
Die entwandelte Hand vom trauernden Mantelärmel umplodert
Krückten sie sich die Wand entlang,
Bis sie die Erde verschlang.

Klagend ließ ich auch sie;
Niemand liebt mich auf Erden,
So lechze ich nicht, mein Blut zu vergießen,
Niemand freut sich der Spende.

30

Schmerzgebild aus Graun und Gram
Nicht mehr tröstete mich die Wiese,
Der Heimat zärtlicher Halm,
Im Traume floh ich ins Dschungel.

Nicht da, nicht dort!
Ein Königstiger auf Java,
Stark und sein eigener Gott —
Zerkrümmt verhaucht ich unter seinen Pranken:

„Der Verse Rede ist geredet.
Nun dringt nichts mehr hervor.
Im Tode sei gebetet.
Ich fahr zum Licht empor."

Letzter Atem entsank.
Die Seele stieg. Nicht hoch.
Hinsirrend über fahle Moore,
Im schwarzen Schwarm der Schatten,
Fern den herrlichen
Gestaden Gottes
Schaute sie nur die Götter.
Näher stob ich dem flirrenden Reigen,
Hob mich betend hinan meinen Gott:

„Phoibos Apollon, neunfach umtanzt dich der Tag mit rosigen Musen,
Was klirrt deine schicksalbehangene Schulter?
Niemand verletzte den Chryses.
Deine vergoldeten Priester beleidigen dich!

Verseuchten Halbdichter den Vers, Zeithunde die Zeitung,
Schone das schuldlose Volk,
Gnädig umwandle dein Reich,
Erstick uns nicht in Pest und gelber Verwesung!"

Antwortend umdrang mich unfriedlicher Berggesang:

„Ihr redet gern vom Glücke,
Und lebet lustzerschabt,
Doch hat euch viel geliebt, gelabt,
War es der Weiber Lücke.

Euch Zwerge wirbeln die Winde,
Bis ihr am Felsen zerschellt,
Ihr torkelt, trunkene Blinde,
Von Asche zur Asche gefällt.

Über dem Schiffbruch irdischer Gewalten
Wehen wir Götter selig dahin,
Euch frommt nach Feldgreueln brandschwarzes Erkalten,
Wir sind die Freude, wir sind der Sinn.

Die ihr Gott und Wort,
Tatherz verlort,
Zum Kampf verdammt
Rafft ihr euch fort,

Narren, Scharen der Waren!
Über Felsen der Zeit
Blutsturz rot rollt:
Ihr sollt euch töten, Barbaren!"

32

Da blickte ich alles versteinert.
Der greise Zeus verfolgt noch das Kuhweib,
Wodans Einaug zu Ehren schnarrt das Einglas im Feld,
Wodan zu Ehren
Pferdefleischessen im Schlachthaus: in östlicher Festung.
Sah Mohammed, ferne dem Gipfel des Sieges,
Wegmüde zum Berg, der stets weiter zurückweicht.
Jesus Christus hütet das Holz,
Starr genagelt ans Kreuz.
Der Menschen nicht nahm er sich an.
Aus unerforschlichem Nebel-Nirwana
Überkam mich im Graun Gruß des Suddhodana:

„Die ihr herrschet: lebt, ihr kennt mich nicht.
Was da icht, sieht sein Gesicht.
Sterbet bis ins wärmste Seelenherz!
Schmutz ist Leben, Erde Schmerz.

Raum, du Trübsal,
Wahn die Zeit,
Im Weltwirrsal
Sei der Tod gebenedeit."

Sprach der Teufel traumesschlau:

„O, wie leicht verweht selbst dieses Blau!
Im Wunder seid ihr Götter nicht bewandert.
Keiner ist Meister des Baus,
Da immer das Heiligtum hinwelkt.

Auf den Häuptern der Asketen paaren sich Insekten!
Ist euch Vormenschen das Ewige unerreichbar,

33

Knirscht nicht vor Göttern um irdische Hilfe.
Die zeitliche Losung keimt auch in euerem Hirn.
Im Hahnenkampf der Völker
Anschwillt manch Vaterland.
Nicht lockt es, namenlos im stumpfen Heerwald
Miztuheulen das Erzgebrüll der Schlachten.
Tiefere Schmerzen pflanzt in Heldenzähne der Geist.
Weh über die Infuln-Helme!
Abkratzt den jesuitischen Kanonenchristen
Die bluteiternde Kruste!
Nicht jung mit den verbrauchten Schatten
Hinwandern über die Wiese!
Erst wenn euch Vergehenden der Tod nicht mehr gilt,
Atmet, Assassinen, die Amok-Luft
In wahren Kämpfen mit den Tatarenzaren:
Aller Welt Geldfürsten!
Erdherrn, die nach Übermacht dürsten,
Muß man die Glut
Löschen mit ihrem Blut.
Glückt es den Brownings, den Bomben,
Fallen weniger Heerhekatomben!«

Und rettete steil ich mich aus dem Traum hervor,
Ich, auch ich, ich habe gemordet!
Bitteres essen die Menschen.

34

WANDERERS LIED

Meine Freunde sind schwank wie Rohr,
Auf ihren Lippen sitzt ihr Herz,
Keuschheit kennen sie nicht;
Tanzen möchte ich auf ihren Häuptern.

Mädchen, das ich liebe,
Seele der Seelen du,
Auserwählte, lichtgeschaffene,
Nie sahst du mich an,
Dein Schoß war nicht bereit,
Zu Asche brannte mein Herz.

Ich kenne die Zähne der Hunde,
In der Wind-ins-Gesicht-Gasse wohne ich,
Ein Sieb-Dach ist über meinem Haupte,
Schimmel freut sich an den Wänden,
Gute Ritzen sind für den Regen da.

„Töte dich!" spricht mein Messer zu mir,
Im Kote liege ich;
Hoch über mir, in Karossen befahren
Meine Feinde den Mondregenbogen.

DEM ERMORDETEN BRUDER

O Kind, das nie nichts sah!
Die Front war Ferne,
Der Arzt nur allzunah.

Aus dumpfem Enghaus,
Wiederkehr der Lehrerschrullen,
Träumtest du dich in heldische Patrouillen.
Gefangener Falter im Kriegsgespinst!
Trank morgens Grau die Sterne aus,
Hungernd und hustend tatest du Dienst,
Im Staub laufend bis ans Ende der Straßen,
Wo abends unter bekümmertem Himmel
Soldaten verschimmeltes Maisbrot fassen.

Dann kamen die Schmerzen.
Stolz wolltest du nicht klagen,
Marode dich nicht melden vor Kameraden.
Es boten zu viel Lieferanten
Gesunden Blinddarm dem Messerarm.
Dich Ohnmächtigen, Kranken nannten
Kriegsärzte einen Simulanten.
Und, todeiternde Tage zu spät, verdammt
Metzger-Ärzte das Messer zum Mörderamt.
Du trugst tränenlos die Überqual,
Der du, verblutend im Wiener Militärspital,
Strafweise Sterbende sterben sehen mußtest im Todessaal.
Du schenktest schwindend der einzigen guten
Wärterin Andersens Märchen,

36

Die den Erzprinzen deines Alters Leben.
Ihnen lärmen noch Lerchen,
Sie kämpfen Tennis, spielen Etappe,
Krieg? Famos! Feudale Attrappe!
Dir ward Digitalis; Injektionen:
Kampfer, Kochsalz, Koffein.
Steil ins Urweh schwillt die Fieberkurve.
Du sehntest dich nach Haus.
Auftat sich letztes Tor.
Vergebens nahmst du dir vor,
Viel Milch zu trinken und gesund zu werden.
Aber du — mußtest sinken zu den getöteten Herden.

„Magst du nicht die Milchstraße trinken?!"
Flüstre ich alter Irrenwärter zu Gott.
„Sieh, dort sind noch viel solche Sterne,
Sie wimmern zu mir in Erdbeschwerden.
Willst du nicht deine Kinder einlullen?
Laß ab von schrillen Schöpfungsschrullen,
Mach dich auf letzte Patrouillen!
Sonnenverfinsterer, Hausherr vom Himmelhaus,
Mann im Mond, tritt die Sterne aus!
Nimm von ihnen ihre große Zeit,
Tod und all deiner Kriege Leid.
Mein Bruder hatte nur ein Märchenbuch
Und ein wenig tödliches Soldatentuch.
Dem Kind, das nie nichts sah —
Die Front war Ferne —
Du tratst ihm allzunah!"

37

CHAOS

Weh, Gebirge stürzt zu Felsbrei,
Verbirgt im Grab zutiefst die Kreatur.
Letzter Schrei und Schutt und Asche.
Überrascht nur gibt der überrasche
Mensch den nackten Leichnam der Natur.
Entrinner wohnen im bitteren Fluß,
Da das Festland verwich und immer mehr
Blutwelle wild schwillt zum rotwimmernden Meer.
Kraus seh ich den Erdkreisel sich im Kreise drehen,
Wie ihn rings verschlagene Winde wehen;
Keiner peitscht ihm neues Leben,
Grau spinnt ihm das Alter Weben.

Schweige, Wort — du, Sang, enthalle!
Der Tod verspielte die Geige,
Gedärme sind seine Uhrkette.
Schwach leuchten die Kerzen aus Staub,
Verloren läuten die Glocken aus Horn.
Mißgeboren müssen die Kinder verdorren;
Ihr Gerippe spielt mit den Würmern, denen zur Speise
Früh sich rüsten die jungweißen Greise.
Ich höre Dächer klagend fragen:
Weh, sind wir, den Schnee zu tragen?
Sind Bäume blind, die sich belauben?
Winter will die Früchte rauben.
Des Schnitters Sense weiß nicht Reu,
Maigras erkennt er: nasses Heu.

38

Irdisch verliert der Weltbesternte
Sterbend seine Sternenernte.
Kalt wird es den Todesgöttern.

Einsam wandere ich den Felsenweg.
Der ich vor Aberjahren Gott verlor,
Reißt mich die Hölle himmelwärts empor?
Dämmert mir die gute Nacht
Oder bin ich auferwacht?

EUROPA

Und Sonne gebar sich,
Mond entwurde,
Sternweb klang leis im Gewölk.
Wüstes Gewirr der vier Wirbelwinde über den Wassern.

Der Urmensch — aushob er Angststeine
Wider das wilde Wild,
Bis der Tod ihm die Augen austrank.
Die Affenkönige schlugen die Zorntrommel,
Fraßen Opfer ihrem guten Gotte Haubenstock,
Ihre Krieger bellten in die Schlacht.

Und ewig ehern gellt Gorgadenschrei.
„Ich zermörsere alles" kreischt die Kruppgeburt.
In Berges Wald
Von düsterer Ulmen Brand verflucht
Leichennickende Ragestirn
Trägt eines Griechengottes kupferkühnen Heldenhelm
Und ist der Mord.

Fortflog melodischer Schatten der Amsel,
Süß umnachteter Ton,
Schwarzer Vogel Musik.
Ihr uferlosen Häuser der Nachtigall und Zeit,
Ihr Hügel und Höhen schneesilberner Stadt voll Wehwinselgesang!
Aus leidgeöffneten Fenstern
Aller Frauen Sehnsucht bricht in meinen Schlaf.
Nicht mehr zwitschert die Mädchen-Lerche
Auf deinem Lager, armer Jüngling!

40

Das Land blüht auf in Wiese, Lichthain —
Aber Abel tötet den Kain,
Goliath tötet den David,
Nestor tötet den Memnon,
Christus tötet den Judas,
Jeder tötet den Menschen.

Das Wasser blüht auf,
Der selig grünen Wellen Umarmung.
Opfer fallen den Schwertfischen.
Auf den mordenden Meeren hallen Heulegebete
Zum unbekannten U-Gott.

Über den eisenzerhackten, feuerzerfeuerten Heeren
Versiegter Sieger die adlerschändenden Flieger,
Über Stadtdörfern, Kreuzen im Kreuzfeuer verbrannten,
Der tierischen Fahne, Dschingiskhane
Blutrot.

Ihr werfet immer Schein.
Wozu die heißen Fanale,
Wem opfert ihr euer Verderben?
Wem gibt der Donner Signale,
Wem gilt der Menschheit Zersterben
Im Teufelstod?

Aus Grab und Grabengewimmel
Hungert's um Hilfe zum Himmel,
Aber der bläht sich hoch über dem Blei,
Heute grau, morgen blau,
Blind über dem kurzen Mückengetümmel.

41

O Erde, wo Leiche der Leiche den Staub raubt!
O Finsterer der Finsternisse,
Du Bitterster der Bitternisse,
Todhimmel, pestschwarzer und lastender,
Dir brülle ich Armer und Fastender:

„Erdgott, flüchte nicht in deinen Bart vor der Kanonen Donner!
Was tränkst du Menschen
Mit den ätzenden Abwässern der Schakale?
Schufst du der Wirbelschlangen Weg im Wind,
Dumpfschlaf in den Ämtern?
Bist du der Fluch: die mondgeschwängert fremde Wolke,
Geist uns ansprühend mit Gift?
Umwimmelt von weißen Haaren, den Boten der Würmer,
Du bist nicht Gott,
Du bist der Ergrauer, Brüstezertrümmerer,
Du bist der Tod.

Gramverheert von Dämonsjahren
Zu Asche verkohlten
Die Wächter der sieben heiligen Sternmeere,
Die Sonne verglüht vor Scham!
Und du?„

„Ich glaube den Krieg nicht", singt die Natur,
„Das Wasser ist da, die blau schwingenden Ströme,
Die Welt sich bewegender Bäume
Und die himmelanjubelnden Felsen
Und der sie alle so liebt,
Frühling mein Freund: der Grünsprecher."

42

WIEN

Wien weint hin im Ruin.

Wien, du alte, kalte Hure,
Ich kauerte an deines Grabes Mauer,
Da du noch locktest,
Ein mürbes Goderl dieser Welt.
Du hurtest hurtig mit Hurradämonen,
Kriegsüber siegerischen Drohnen;
Nun hungernd unkst du unter deiner Laster Last:
Du hast ein Reich verpraßt,
Das nie den Armen nährte;
Der nie sich gegen der Gewalt Galgen empörte.
Stumpf stiehlt er Holz vom Friedhof,
Zu heizen mit den Grabkreuzen.

Wien — nieder brennt dein Feuer. Dein Tag verkohlt.
Menschen zu Asche sinkt von Höhen weiland der Wald.
Edler ist das ärmste Tier.
Aufqualme roter Feuertag der Städtezerstörer!

Ich rufe Wehe über die Stadt,
Ich rufe Wehe über das Wesen,
Das um Asche und Papier
Den Wald vergessen hat.

Ich sehe letztes Laub vom kahlen Berge sinken,
Ich seh den letzten Baum des Wiener Waldes fallen,
Sein blutendes Holz in Glutnacht ertrinken —
Es wärmt euch nicht:
Des Hauses Wände fallen
In den Vorüberstrom.

43

Ewig deine Wogen, o Donau,
Ewig der Schimmer der Alpen,
Sie überwintern gut
Jenseits eures Abends und Morgens;
Der Mensch fällt in dein Wasser, Notstrom,
Der Stein erschlägt ihn des Berges
Für den ermordeten Wald.

Die Städte muß man zerstören,
Ihre Häuser sind Sorgen aus Papier,
Menschenfleisch fressen ihre Bewohner,
Selbstsucht aus ihren Rachen riecht wie ein verwesendes Tier.
Nirgends ist der Sterne Berghimmel so fern wie hier.
Im Sumpf des Wuchers, Handels, ahnet ihr nicht das Heilige:
Land! Brechet auf! Wollt ihr
In den faden Eheebenen der graden Straßen zugrundestehn?

Ich bitte euch, zerstöret die Stadt,
Ich bitte euch, zerstöret die Städte:
Ich bitte euch, zerstört die Maschinen.
Zerreißet alle Wahnschienen!
Entheiligt ist euer Ort,
Euer Wissen ist nördliche Wüste,
Darin die Sonne verdorrt.

Ich beschwöre euch, zerstampfet die Stadt, zertrümmert die Städte,
Ich beschwöre euch, zerstört die Maschine:
Ich beschwöre euch, zerstöret den Staat!

44

LAND

Trage mich, du tiefer Zug,
Zu Sonnentau und Falkenflug.

Blume, Vogel, Baum und Tier
Will ich wieder werden!
Land zu sein ist Begier,
Ich in mir muß sterben.

Stille bleicht das Mondrevier,
Tau singt auf dem Grase,
Guten Morgen geben mir
Haselmaus und Hase.

Roggen drischt aus Mark und Bein
Mädchen in der Scheune;
Ich muß zum Kind zertrampelt sein
Deinem jungen Beine.

Ewig Sein ist in dir,
Niemals kann ich sterben,
Blume, Vogel, Baum und Tier
Soll ich wieder werden!

FRIEDE

Die Bäume lauschen dem Regenbogen,
Tauquelle grünt in junge Stille,
Drei Lämmer weiden ihre Weiße,
Sanftbach schlürft Mädchen in sein Bad.

Rotsonne rollt sich abendnieder,
Flaumwolken ihr Traumfeuer sterben.
Dunkel über Flut und Flur.

Frosch-Wanderer springt großen Auges,
Die graue Wiese hüpft leis mit.
Im tiefen Brunnen klingen meine Sterne.
Der Heimwehwind weht gute Nacht.

WERKE VON ALBERT EHRENSTEIN

Genossenschaftsverlag, Wien:
Die Nacht wird, Novellen und Gedichte

Karl Kraus

*

Verlag Ed. Strache, Wien:
Die Gedichte, Erste Gesamtausgabe

*

Inselverlag, Leipzig:
Bericht aus einem Tollhaus, Roman

Tubutsch,
mit zwölf Zeichnungen von Oskar Kokoschka

*

Verlag S. Fischer, Berlin:
Die rote Zeit, Gedichte

Zaubermärchen

*

Verlag Rascher, Zürich:
Den ermordeten Brüdern, Prosa und Verse

*

Reclams Universal-Bibliothek:
Dem ewigen Olymp

image
not
available

image
not
available

image
not
available

image
not
available

image
not
available

image
not
available

image
not
available

Das

Spies'sche Fauſtbuch

und ſeine Quelle.

Von

Maximilian Schwengberg.

Berlin und Leipzig.
Verlag von Oscar Parrisius.
1885.

Die der Faustsage zu Grunde liegende Idee ist so alt wie die Menschheit. Das Streben, die ihm gesetzten Schranken zu durchbrechen, die in der Natur wirkenden Kräfte zu erforschen und mit ihrer Hülfe Macht über die Natur zu gewinnen, gehört zu den Grundtrieben des menschlichen Geistes. Dies beweist die Geschichte. Von den ältesten Zeiten sagenhafter Überlieferung bis hinauf in unsere Tage, in das Zeitalter des Spiritismus, begegnen wir wunderbaren Sagen und Erzählungen, die diese Sehnsucht nach dem Übernatürlichen, diesen Hang zur Magie schildern. Besonders zahlreich erwuchsen solche Legenden auf dem Boden des christlichen Mittelalters. Die Annalen jener Zeit melden von dem magischen Treiben des Theophilus von Adana, des Albertus Magnus, des Johannes Teutonicus, des Theophrastus Paracelsus, des Cornelius Agrippa von Nettesheim.

Die letzte und tiefsinnigste aller dieser Sagen, in der sich zugleich alle früheren erschöpft und vollendet haben, ist die Sage vom Doktor Faust. Gleich als wollte das reformierte sechzehnte Jahrhundert den in jenen Sagen dargestellten Gedanken des Forschertitanismus nicht mit dem Mittelalter scheiden lassen, als wollte es ihn mit in die neue Zeit hinübernehmen, schuf es einen gewaltigen neuen Träger für diese Idee, auf den es die in den mittelalterlichen Legenden zerstreuten Züge in den Hauptmomenten übertrug. Ja, als wollte jene Periode der Renaissance dieser Idee ewiges, unvergängliches Leben sichern, begnügte sie sich nicht damit, dieselbe im Volksmunde fortleben zu lassen, sondern fixierte sie auch schriftlich. In der That wäre bei einer allein mündlichen Überlieferung die Grundidee der Faustsage verwischt worden: die frei und haltlos umherfliegenden Erzählungen würden durch den Sturm, der in der ersten Hälfte des folgenden Jahrhunderts in Deutschland tobte, auseinander gerissen und zerstreut worden sein oder sie würden, falls sie diesen Sturm überdauerten, von Mund zu Mund gehend immer mehr ins Mythische und Märchenhafte, ins Flache und Platte herabgedrückt sein; wir würden auf Faust sehen, wie wir auf Till Eulenspiegel und Claus Narr blicken. Daß die Faustsage als ein einheitliches Ganze erhalten wurde, daß die ihr zu Grunde liegende Idee, die sich dann im Laufe der Zeit zu einer weit höheren und reineren entwickelte, gewahrt blieb,

dies ist erreicht durch die Erhebung der Volkssage zur
Volkslitteratur, durch die Abfassung eines Faustbuches.

Im Herbst des Jahres 1587 erschien das erste Volks=
buch vom Doktor Faust zu Frankfurt am Main im
Druck und Verlag von Johann Spies — nach ihm
gewöhnlich das Spies'sche Faustbuch genannt — unter
dem bombastischen Titel: „HISTORIA Von D. Johann
Fausten, dem weitbeschreyten Zauberer vnnd Schwartz=
künstler, Wie er sich gegen dem Teuffel auff eine be=
nandte zeit verschrieben, Was er hierzwischen für seltzame
Abentheuwer gesehen, selbs angerichtet vnd getrieben, biß
er endtlich seinen wol verdienten Lohn empfangen.
Mehrertheils auß seinen eygenen hinderlassenen Schriff=
ten, allen hochtragenden, fürwitzigen vnd Gottlosen
Menschen zum schrecklichen Beyspiel, abscheuwlichen
Exempel, vnd treuwhertziger Warnung zusammen gezogen,
vnd in den Druck verfertiget. IACOBI IIII. Seyt
Gott vnderthänig, widerstehet dem Teuffel, so fleuhet er
von euch*)."

---

*) Das einzige von der ersten Ausgabe vollständig erhaltene
Exemplar befindet sich in der Heinrich Hirzel'schen Bibliothek zu
Leipzig. Einen wortgetreuen Abdruck des Buches hat W. Braune
und F. Zarncke (Halle 1878) geliefert. Höchst dankenswerter Weise hat
Wilhelm Scherer neulich das älteste Faustbuch facsimilieren lassen
(im Groteschen Verlage zu Berlin 1885 erschienen). Der von
August Kühne besorgte Abdruck der editio princeps (Zerbst 1868)
ist ungenau und in J. Scheibles Kloster II, achte Zelle (Stuttgart
1846) ist nicht das Original, sondern eine in demselben Jahre
erschienene Bearbeitung desselben wiedergegeben.

In der vom 4. September datierten Widmung spricht
der Frankfurter Drucker seine Verwunderung darüber aus,
daß noch niemand eine zusammenhängende Lebensbe=
schreibung von dem weit und breit bekannten Doktor
Fauſt verfaßt habe, obgleich ſich längſt das Bedürfnis
nach einer ſolchen herausgeſtellt hätte. Trotz vieler An=
fragen „bey Gelehrten vnd verſtändigen Leuten“, ob
vielleicht „dieſe Hiſtori ſchon allbereit von jemandt be=
ſchrieben were“, hat der rührige Verleger „nie nichts
gewiſſes erfahren können“, bis ihm endlich durch einen
guten Freund aus Speyer der Stoff mitgeteilt wurde
mit dem Erſuchen, ihn zur Warnung aller Chriſten
zu publizieren. Der dienſtwillige Herausgeber verſichert,
weder Mühe noch Koſten geſcheut zu haben, um ein
„merdlich vnnd ſchrecklich Exempel“ zu geben, „darinn man
nicht allein deß Teuffels Neid, Betrug vnd Grauſamkeit
gegen dem Menſchlichen Geſchlecht, ſehen, ſonder auch
augenſcheinlich ſpüren kan, wohin die Sicherheit, Ver=
meſſenheit vnnd fürwitz letzlich einen Menſchen treibe“. —
Die der Dedication folgende „Vorred an den Chriſt=
lichen Leſer“ warnt vor der Zauberei und Schwarz=
künſtlerei als der größten und ſchwerſten Sünde gegen
Gott und die Menſchheit. Wenn die Obrigkeit die von
Gott verordnete Beſtrafung eines Zauberers außer acht
laſſe, vollziehe der Teufel das Henkersamt; ſo habe
er dem Zoroaſtres u. a. den Garaus gemacht, ſo habe
er auch dem D. Johann Fauſtus, „der noch bey

Menſchen Gedächtnuß gelebet", ben Hals umgebreht.
Die Vorrebe ſchließt mit ben charakteriſtiſchen Worten:
„Damit aber alle Chriſten, ja alle vernünfftige Menſchen
ben Teuffel vnnd ſein Fürnemmen beſto beſſer kennen,
vnnb ſich dafür hüten lernen, ſo hab ich mit Raht
etlicher gelehrter vnnb verſtenbiger Leut das ſchrecklich
Exempel D. Johann Fauſti, was ſein Zauberwerck für
ein abſcheuwlich Enb genommen, für die Augen ſtellen
wöllen, Damit auch niemanbt burch bieſe Hiſtorien zu Fürwitz vnb Nachfolge möcht gereizt werben, ſinb mit ſleiß
vmbgangen vnnb außgelaſſen worben bie formae con-
iurationum, vnnb was ſonſt barin ärgerlich ſeyn möchte,
vnnb allein das geſetzt, was jeberman zur Warnung
vnnb Beſſerung bienen mag. Das wölleſt bu Chriſt-
licher Leſer zum beſten verſtehen, vnb Chriſtlich ge-
brauchen, auch in kurtzem beß Lateiniſchen Exemplars
von mir gewertig ſeyn. Hiemit Gott befolen."

Die eigentliche Hiſtoria nun, gleich der Vorrebe
von einem uns unbekannten Autor geſchrieben, giebt in
kunſtloſer Darſtellung eine ausführliche Beſchreibung von
Fauſts Leben und Thaten. Im ganzen aus 68 Kapiteln
beſtehenb, bie größtenteils mit mehr ober minber zu-
treffenben Überſchriften verſehen ſinb, gliebert ſich bas
Buch in brei ſcharf von einanber geſchiebene Abſchnitte
ober Haupteile.

Der erſte Teil, „Hiſtoria vonn D. Johann Fauſten,
beß weitbeſchreyten Zauberers, Geburt vnb Studijs"

überschrieben, behandelt Faust als Theologen: Faustus,
guter Leute Kind aus Roda bei Weimar, genoß seine
Erziehung in dem Hause eines vermögenden Vetters zu
Wittenberg. In dem glücklichen Besitze eines „ganz
gelehrigen und geschwinden" Kopfes widmete er sich
daselbst dem Studium der Theologie, dem er so fleißig
oblag, daß er bald zum Dr. theologiae promoviert
werden konnte, zusammen mit sechzehn anderen Kandi-
daten, denen er an Kenntnissen weit überlegen war.
Plötzlich — man weiß nicht recht warum — bricht
Faust mit der Theologie und bezieht die Hochschule zu
Krakau, um die Naturwissenschaften zu studieren und die
Zauberei zu erlernen. Tag und Nacht sitzt er hinter
den magischen Büchern, vertauscht bald den theologischen
Doktor mit dem medizinischen und bethätigt sich mit
gutem Erfolge als praktischer Arzt. All sein Sinnen
und Trachten ist aber auf die Erforschung der Natur,
auf die Erkenntnis der Dinge gerichtet. Da ihm die
erstrebte Offenbarung vom Himmel versagt ist, klopft er
an die Pforten der Hölle. Im Spesser Wald bei
Wittenberg beschwört er eines Abends auf einem Kreuz-
wege mit Hülfe der Magie den Teufel. Nach heftigem
Widerstreben erscheint endlich der Teufelsgeist in der
Gestalt eines grauen Mönches und verspricht dem Be-
schwörer einen Besuch in seiner Behausung um die
zwölfte Stunde der anderen Nacht. Gleichwohl zitiert
ihn Faust schon am nächsten Morgen in seine Wohnung

vnd erſucht ihn um die Erfüllung dieſer drei Forde=
rungen:

"I. Erſtlich, daß er jhm ſolt vnterthänig vnd ge=
horſam ſeyn, in allem was er bete, fragte oder
zumuhte, biß in ſein Fauſti Leben vnd Tobt
hinein.

II. Daneben ſolt er jm das jenig, ſo er von jm
forſchen würd, nicht verhalten.

III. Auch daß er jm auff alle Interrogatorien
nichts vnwarhafftigs respondiern wölle."

Mit dem innigen Bedauern, bei der ihm zu Gebote
ſtehenden Machtbefugnis ſolch Begehren nicht erfüllen
zu können, empfiehlt ſich der Teufel, ohne jedoch jede
Ausſicht auf eine weitere Unterredung abzuſchneiden.
Noch an dem nämlichen Abend kommt er wieder, aus=
geſtattet mit der nötigen, von dem Herrn der Hölle
huldvoll erteilten Macht und Erlaubnis, ſeine Dienſte
anzubieten. Inzwiſchen hat auch Fauſt ſeine Anſprüche
weſentlich geändert. Jetzt verlangt er: "Erſtlich, daß
er auch ein Geſchidligkeit, Form vnnd Geſtalt eines
Geiſtes möchte an ſich haben vnd bekommen. Zum andern,
daß der Geiſt alles das thun ſolte, was er begert, vnd
von jhm haben wolt. Zum dritten, daß er jm gefließen,
vnterthänig vnd gehorſam ſeyn wolte, als ein Diener.
Zum vierdten, daß er ſich allezeit, ſo offt er jn forderte
vnd beruffte, in ſeinem Hauß ſolte finden laſſen. Zum
fünfften, daß er in ſeinem Hauſe wölle vnſichtbar

regiern, vnd sich sonsten von niemandt, als von jm
sehen lassen, es were denn sein Will vnd Geheiß. Vnd
letzlich, daß er jhm, so offt er jhn forderte, vnnd in
der Gestalt, wie er jhm aufferlegen würde, erscheinen
solt." Bereit, jeden Punkt gewissenhaft zu beobachten,
stellt Mephostophiles — so lautet hier der Name —
folgende Gegenforderungen: „Erstlich, daß er, Faustus,
verspreche vnd schwere, daß er sein, deß Geistes, eygen
seyn wolte. Zum andern, daß er solches zu mehrer
Bekräfftigung, mit seinem eygen Blut wölle bezeugen,
vnd sich darmit also gegen jm verschreiben. Zum dritten,
daß er allen Christgläubigen Menschen wölle feind seyn.
Zum vierdten, daß er den Christlichen Glauben wölle
verläugnen. Zum fünfften, daß er sich nicht wölle ver=
führen lassen, so jhne etliche wöllen bekehren." Da auch
Faust sich der Erfüllung dieser Bedingungen nicht ab=
geneigt zeigt, wird zum definitiven Abschluß des Paktes
geschritten. Faust fertigt eine mit seinem Blute unter=
schriebene Obligation aus, die den Teufel ermächtigt, sich
seines Verbündeten mit Leib und Leben, mit Gut und Blut
zu bemächtigen, nachdem er ihm vier und zwanzig Jahre
hindurch ein pflichtgetreuer Diener gewesen ist. Von der
Verschreibung, in der, wie oben erwähnt, auch das Ver=
sprechen, allen Christen Feind zu sein und sich nie zur
Umkehr bestimmen zu lassen, enthalten ist, muß Faust
eine Abschrift nehmen. Kaum hat Mephostophiles das
Schriftstück in Händen, als er seine Künste zum besten

giebt. Fauſt ſieht, was noch kein Menſch geſehn. In
ſeiner Kammer gehen feurige Männer umher, pirſchen
Jäger mit ihrer Meute auf einen Hirſch, kämpfen
Drachen und Löwen mit einander; während ihm ein
wilber Stier zu Füßen fällt, ein großer Affe in den
Schoß ſpringt, wird das Auge des erſtaunten Zuſchauers
von dichtem Nebel umhüllt und das Ohr durch ein wohl=
klingendes Inſtrumentalkonzert ergötzt. An all dieſen
Gaukeleien empfindet Fauſt mit ſeinem Famulus Wagner
eine kindiſche Freude. Auch das leibliche Wohl ſeines
Pfleglings läßt Mephoſtophiles ſich angelegen ſein: Er
bewilligt ihm ein Jahrgehalt von 1300 Kronen und
ſtiehlt für ihn überdies guten Wein und exquiſite
Speiſen von den benachbarten Höfen. In dieſem epi=
kureiſchen Leben kommt Fauſt der Gedanke, ſich zu ver=
heiraten, an dem er ſo feſthält, daß der Teufel ihn
nur mit Gewalt davon abzubringen vermag. Da der
feurige Liebhaber ſich durch den Kontrakt, in dem er
allen Menſchenkindern unauslöſchlichen Haß geſchworen,
nicht gebunden glaubt, ſich auch durch die teufliſche
Drohung, in Stücke geriſſen zu werden, falls er auf
ſeinem Sinn beharre, von dem Vorhaben nicht abſchrecken
läßt, wirft ihn der wütende Teufel in heftigem Unge=
ſtüm ſo lange hin und her, bis der Unglückliche auf die
Ehe Verzicht leiſtet und um Verzeihung bittet. Zum
Entgelt giebt ihm der hölliſche Geiſt jedes weibliche
Weſen, das er begehrt, zur Konkubine, wobei er den

diabolus succubus spielt. Einen geistigen Genuß bieten dem wollüstigen Jüngling in seiner teuflischen Ehe neben dem eifrigen Studium magischer Schriften gelehrte Disputationen mit Mephostophiles. Derselbe muß möglichst erschöpfende Vorträge halten über den Fall Lucifers, über das Regiment der Teufelsgeister, über die Gestalt der verstoßenen Engel, über die Macht des Teufels, über die Hölle, auch über die Pein in derselben, sowie über die Frage, was der Teufel thäte, wenn er als Mensch geboren wäre. Bei diesen meist ziemlich flachen Auseinandersetzungen überkommt den andächtigen Hörer nicht selten eine entsetzlich quälende Sorge um das Heil seiner armen Seele. Das Gewissen, eine Zeit lang durch sinnliche Genüsse betäubt, erwacht wieder und heißt ihn den maßlosen Frevel des teuflischen Bundes erkennen; aber der reuevolle Sünder fürchtet, schon zu weit vom Herrn des Himmels abgefallen zu sein, als daß er jemals wieder die göttliche Gnade verdienen könnte. Mit leichter Mühe beseitigt Mephostophiles alle ihn plagenden Skrupel und Zweifel und verweigert, um neue zu verhüten, hinfort jede Auskunft über theologische Fragen.

Der zweite Hauptteil der Historia, eingeleitet mit den Worten: „Folget nun der ander Theil dieser Historien, von Fausti Abentheuren vnd anderen Fragen", stellt Faust dar als Erforscher der Natur: Durch Mephostophiles' Weigerung genötigt, die Beschäftigung

mit der Theologie aufzugeben, wirft sich Faust auf das
astronomisch-astrologische Studium und giebt mit Hülfe
seines vielwissenden Geistes praktische Kalender heraus,
die mit großem Beifall aufgenommen werden und guten
Absatz finden. Auch hier, auf dem Gebiete der Naturwissenschaften, verlangt der lernbegierige Schüler von
dem Teufel Belehrung. Er erkundigt sich nach der Ent-
stehung des Sommers und Winters, nach dem Ursprung
und der Beschaffenheit des Himmels, nach der Erschaffung
der Welt und der Geburt der ersten Menschen. Ehe
er noch den Wunsch geäußert, ist schon Belial da, ihm
seine höllischen Unterthanen vorzustellen. In Fausts
Zimmer erscheinen Lucifer, Beelzebub, Satanas u. a.,
nehmen vor seinen Augen die mannigfaltigsten Gestalten
an und verwandeln sich endlich in allerhand Ungeziefer,
welches dem Faust derartig zusetzt, daß er davonläuft.
Trotzdem verlangt ihn nach einer eingehenden Besichtigung
der ganzen Hölle. In einem geschlossenen Sessel führt
ihn Beelzebub auf tausend Kreuz- und Querwegen an
den Ort seiner Sehnsucht, aber Faust fühlt sich in dem
Dunst und Nebel, wo mit siebender Hitze unablässig
eisige Kälte wechselt, recht ungemütlich. Nach der Höllen-
fahrt unternimmt er eine Himmelfahrt. Auf einem
feurigen, mit zwei geflügelten Drachen bespannten Wagen
wird Faust sieben und vierzig Meilen hoch in die
himmlischen Regionen gehoben, wo er nahezu acht Tage
Muße hat, das Leben und Treiben der Erdbewohner

zu beschauen. Daburch flüchtig auf der ganzen Erbe
orientiert will ber reiseluftige Wanberer einzelne Länber
unb Stäbte näher kennen lernen. Auf Mephostophiles'
Rücken, ber die Gestalt eines leichtbeschwingten Rosses
angenommen hat, burchstreift er fast alle Lanbe Europas
unb nimmt in Augenschein, was sehenswertes sich finbet
in Trier, Paris, Mainz, Neapel, Venebig, Pabua,
Mailanb, Florenz, Lyon, Köln, Aachen, Basel, Konstanz,
Ulm, Würzburg, Nürnberg, Augsburg, Regensburg,
München, Salzburg, Wien, Prag, Ofen, Magbeburg,
Lübeck unb Erfurt. Einen längeren Aufenthalt nimmt
er in Konstantinopel unb Rom. Hier hat er ben Papst
unb seinen Hof zum besten, inbem er bem heiligen Vater
bie fettesten Bissen vor ber Nase wegschnappt; bort treibt
er mit bem türkischen Kaiser Soliman unb seinen Weibern
Spott, inbem er in bes Propheten Muhameb Geist unb
Bilbung erscheint. Als er auch Asien berührt, erblickt
freubestrahlenb sein Auge vom Kaukasus aus einen
prächtigen Garten, ben ihm sein Führer als bas für
ihn unerreichbare Parabies bezeichnet.

Der britte Abschnitt bes Buches, betitelt: „Folgt
ber britt vnnb letzte Theil von D. Fausti Abenthewer,
was er mit seiner Nigromantia an Potentaten Höfen
gethan vnb gewircket. Letzlich auch von seinem jämmerlichen
erschrecklichen Enb vnnb Abschiebt", erzählt einmal Fausts
Zaubereien an ben Höfen, unter Stubenten unb Bauern
unb zum anbern sehr eingehenb seinen Tob: Am Hofe

Karls V. in Insbruck wird Faust von dem Kaiser, der begierig ist, eine Probe seiner Kunst zu sehen, ersucht, den Macedonischen König Alexander und dessen Gemahlin erscheinen zu lassen. Nach einer kurzen Besprechung des Magiers mit Mephostophiles tritt der große Alexander und nach ihm seine bildschöne Gemahlin in den Saal vor die kaiserliche Majestät, die an einer Warze im Nacken der weiblichen Erscheinung die Echtheit der beiden Gestalten erkennt. An demselben Hofe zaubert der Teufels= kumpan einem Ritter, der im Fenster liegend eingeschlafen war, ein Hirschgeweih an die Stirn, so daß er den Kopf nicht eher zurückziehen konnte, bis es dem Zauberer beliebte, den Bann zu lösen. Als der gefoppte Ritter dem boshaften Peiniger auflauert, um an ihm blutige Rache zu nehmen, stellt dieser ihm einen Trupp wohl= gerüsteter Reiter entgegen und zaubert der ganzen feindlichen Schar Geißhörner an die Stirne. Bei einem zweiten Versuch, den Gegner in seine Hand zu bekommen, wird der Ritter von Soldaten umzingelt, zur Auslieferung der Waffen gezwungen und davon gejagt. Einen Freund= schaftsdienst erweist Faust drei gräflichen Studenten in Wittenberg, deren sehnlichster Wunsch ist, der Vermählungs= feier eines bairischen Prinzen beizuwohnen. Auf einem Zaubermantel führt er sie durch die Lüfte in den fürstlichen Palast zu München, läßt sie den Glanz des Festes schauen und bringt sie glücklich zurück in die Heimat. Während eines Aufenthaltes bei dem Grafen von Anhalt

verspricht der Hexenmeister der schwangeren Gräfin, ihren
Gaumen zu letzen; da die Herrin mitten im Winter
Appetit verspürt auf reifes Obst und frische Weintrauben,
läßt er stracks durch seinen Geist das Gewünschte von
den Antipoden herbeiholen. Um sich für die gastliche
Aufnahme zu revanchieren, giebt der Wundermann dem
anhaltischen Hofe ein mehr denn königliches Diner in
einem eigens dazu erbauten Schlosse, das sich nachher
durch Feuer selbst verzehrt. Nach Wittenberg zurück=
kehrt feiert Faust mit sieben Studenten das Fastnachts=
fest. Er fährt mit ihnen in den Keller des Bischofs
von Salzburg und als sie der Kellermeister bei der
Weinprobe stört, wird er auf die Spitze einer hohen
Tanne gesetzt und erst am folgenden Tage aus der
unangenehmen Situation befreit. Bei den weiteren
Fastnachtsgelagen, die größtenteils in Fausts Wohnung
abgehalten werden, sorgt der liebenswürdige Gastgeber
sowohl für gute Speisen und Getränke als auch für
anmutige Unterhaltung. Er läßt berauschende Tafel=
musik erschallen, fängt mit einer aus dem Fenster ge=
streckten Stange allerlei Vögel, führt dressierte Affen
vor, nötigt einen gebratenen Kalbskopf eine Rede zu
halten und arrangiert mit seinen frohen Zechgenossen
einen wunderbaren Mummenschanz. Eines der schönsten
Wunder thut der Magier am ersten Sonntag nach Ostern,
dem sogenannten weißen Sonntag, indem er vor den
Studenten die troische Helena erscheinen läßt und zwar

in so reizender Gestalt, daß alle Zuschauer in Liebe zu
ihr entbrennen. — Meist brutalerer Natur sind die
an einfältigen Bauern verübten Streiche. Bei Gotha
frißt Faust einem Landmann, der ihm nicht aus dem
Wege fährt, seinen schwerbeladenen Heuwagen auf, in
Zwickau verzehrt er ein ganzes Fuder Heu für nur
einen Kreuzer und in einem Wirtshause verzaubert er
schmausende Bauern, weil sie zu großen Lärm machen;
er verwandelt sogar Strohwische in fette Schweine und
treibt damit Handel, er betrügt einen Juden um sechzig
Thaler und läßt sich noch deren sechzig bezahlen als
Schadenersatz für seinen verpfändeten Schenkel! Er
schleudert auch einem Bauer, der ihn nicht mitnehmen
will, die Räder vom Wagen, verhindert einen anderen
Zauberer, den abgeschlagenen Kopf wieder aufzusetzen,
bemächtigt sich eines großen Schatzes, richtet im strengsten
Winter einen prächtigen Sommergarten her und ver=
schafft einem abligen Studenten die Liebe einer alt=
abligen Jungfrau. Schon steht Faust siebzehn Jahre
lang mit dem Teufel im Bunde, als ihm sein Nachbar,
ein frommer christlicher Arzt, ins Gewissen redet und
ihn zur Umkehr mahnt. Der vorher verstockte Sünder
empfindet Reue und ist entschlossen, das Teufelsbündnis
zu brechen; aber Mephostophiles' Drohung, er werde
den Kontraktbrüchigen in tausend Stücke zerreißen, be=
stimmt ihn zu einer zweiten Verschreibung für die letzten
sieben Jahre. Diese benutzt Faust zu einem wilden, un=

moralifchen Leben und nimmt außer fieben teuflifchen
Succubis die holdfelige Helena zur Konkubine, die ihm
den der Zukunft kundigen Sohn Juftus giebert. — Der
fich hieran anfchließenden Befchreibung von dem un=
feligen Ende ift eine befondere Überfchrift gewidmet:
„Folget nu was Doctor Fauftus in feiner letzten Jarsfrift
mit feinem Geift vnd andern gehandelt, welches das 24.
vnnd letzte Jahr feiner Verfprechung war.“ Im vier
und zwanzigften Jahr des teuflifchen Bundes fetzt Fauft
feinen Famulus Wagner, den er wie feinen Sohn hielt,
zum Univerfalerben ein. Demfelben unterfagt er jedwede
Herausgabe feiner magifchen Bücher, trägt ihm aber eine
Abfaffung feiner Lebensbefchreibung auf, bei der ihm
der neu verfchriebene Geift Auerhahn behülflich fein foll.
In dem letzten Monat feines Dafeins wird Fauft, ange=
fichts der langfam nahenden Todesftunde, von den furcht=
barften Gewiffensqualen gepeinigt; er ergeht fich in
wehmütigen, von tief innerlicher Reue eingegebenen
Klagen über feine fündhafte Vergangenheit, denen der
kalte Teufel bitteren Hohn entgegenfetzt. Am Tage
vor feinem Ende präfentiert Mephoftophiles dem Ver=
zweifelnden die Verfchreibung und kündigt ihm an, daß
er ihn in der nächften Nacht abholen werde. Auf diefe
Nachricht hin begiebt fich Fauft nach einer übel verbrachten
Nacht am Morgen des Todestages mit den ihm be=
freundeten Studenten in das eine halbe Meile von
Wittenberg entfernte Dorf Rimlich, wo er mit ihnen

das Henkersmahl einnimmt und sie in einer ergreifenden
Rede zur Liebe zu Gott und zum Haß gegen den Teufel
ermahnt. In seinen letzten Worten richtet er an die
Freunde die Bitte, die kommende Nacht in dem Gast=
hofe zuzubringen, am anderen Tage seinen Leichnam
zu bestatten und ihm ein ehrenvolles Andenken zu be=
wahren. In der Nacht nun zwischen zwölf und ein
Uhr erhob sich in dem Wirtshause zum Schrecken der
Bewohner ein gewaltiger Sturm, auf den wiederholte
bange Hülferufe folgten, die allmählich schwächer wurden,
bis sie verstummten. Am frühen Morgen wurde der
Körper des entseelten Faust in Stücke gerissen, durch
das ganze Haus zerstreut aufgefunden und in Rimlich
begraben. Bei ihrer Ankunft in Wittenberg entdeckten die
Studenten in Fausts Wohnung seine von ihm selbst ver=
faßte Biographie, zu der sie nur noch die Erzählung des
entsetzlichen Endes hinzuzufügen für nötig erachteten. Mit
einer adhortatio an alle gläubigen Christen wird die
dreiteilige Historia beschlossen. —

Der Eindruck, den das Buch dem unbefangenen
Leser hinterläßt, ist ein wenig erfreulicher. Die nüchterne,
geschmacklose Auffassung, die trockene, prosaische Dar=
stellung, das einseitige, parteiische Urteil haben etwas
Abstoßendes. Freilich begegnet man auch Stellen von
hoher poetischer Schönheit, aber gerade diese, weit ent=
fernt sich als anziehender zu erweisen, wirken auf den
Gesamteindruck nur störend. Denn da hier eine höhere,

2*

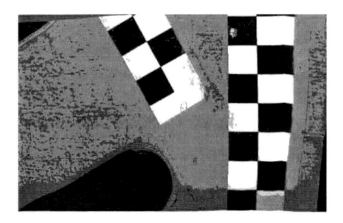

geistigere Auffassung durchblickt, eine lebendigere, schwung=
vollere Darstellung hervortritt, ein freieres, treffenderes
Urteil Platz greift, geht die Einheit und Ganzheit des
Werkes verloren. Die in glühender Begeisterung, in
flammendem Eifer niedergeschriebenen Teile vereinigen
sich mit den seichten, wäßrigen Partieen so wenig, wie
sich Feuer mit Wasser verbindet. Durch die Verschieden=
heit im Stile, den Wechsel in der Beurteilung, den
Mangel an innerem Zusammenhang sieht man sich zu
der Überzeugung geführt, die Historia sei aus verschiedenen
Stücken mühsam banausisch zusammengeflickt, nicht in
freier Schaffenskraft in einem Zuge vollendet. Die
ungeschickten Übergänge, die zwecklosen Wiederholungen,
die groben Widersprüche berechtigen zu der Annahme,
daß es dem Verfasser an der nötigen Ein= und Um=
sicht gebrach, das ihm vorliegende, jedenfalls sehr reich=
haltige Material zu sichten und zu verarbeiten. Die
Frage, woher dieses Material bezogen ist, beantwortet
der Verleger Spies genügend mit den Worten der
Widmung: „Nach dem nun viel Jar her ein gemeine vnd
grosse Sag in Teutschlandt von Doct. Johannis Fausti,
deß weitbeschreyten Zauberers vnnd Schwartzkünstlers
mancherley Abenthewren gewesen, vnd allenthalben ein
grosse nachfrage nach gedachtes Fausti Historia bey den
Gastungen vnnd Gesellschaften geschicht. Deßgleichen
auch hin vnd wider bey etlichen newen Geschichtschreibern
dieses Zauberers vnnd seiner Teuffelischen Künste vnd

erſchrecklichen Endes gedacht wirdt, hab ich mich ver=
wundert" 2c. Es kann kein Zweifel darüber obwalten,
daß die Sage d. h. die immer mehr Stoff in ihr Bereich
ziehende mündliche Überlieferung als die Hauptquelle
für das Fauſtbuch anzuſehen iſt, während die Zauber=
bücher jener Zeit und die bis zum Erſcheinen der Hiſtoria
vorhandenen litterariſchen Berichte über Fauſt verhältniß=
mäßig geringen Stoff darboten. Die mündliche Über=
lieferung wieder hat ſich nicht aus einer gleichſam aus
der Luft gegriffenen Fiktion, ſondern aus den geſchichtlichen
Berichten über Fauſt entwickelt. Der Fauſt des Volks=
buches alſo geht in der Hauptſache zurück auf den Fauſt
der Sage, auf den traditionellen oder mythiſchen Fauſt,
der mythiſche auf den hiſtoriſchen. Über den hiſtoriſchen
Fauſt liegen Berichte von Zeitgenoſſen und ſpäteren
Zeugen vor *).

Zuerſt geſchieht ſeiner Erwähnung bei dem gelehrten
Abt von Sponheim, Johannes Tritemius (1462—1516),
der ſelbſt in dem Verdachte der Zauberei ſtand. Am
20. Auguſt 1507 ſchreibt er aus Würzburg an den
Mathematiker und Aſtronomen Johann Virdung in
Haßfurt, der den Beſuch des Zauberdoktors er=

---

*) Mit Ausnahme des mir unzugänglichen Begardiſchen Zeug=
niſſes machen alle auf unbedingte, bisher ungern vermißte Ge=
nauigkeit Anſpruch. Leider mußte von der beabſichtigten Facſi=
milierung der Zitate unerwartet eingetretener Hinderniſſe wegen
noch im letzten Augenblick Abſtand genommen werden.

merite: *) Homo ille de quo mihi scripsisti Georgius Sabellicus **), qui se principem necromanticorum ausus est nominare, gyrouagus, battologus, et circumcellio est, dignus qui uerberibus castigetur, ne temere deinceps tam nefanda et ecclesiae sanctae contraria publice audeat profiteri. Quid enim sunt aliud tituli quos sibi assumit, nisi stultissimae ac uesanae mentis inditia, qui se fatuum non philosophum ostendit? Sic enim titulum sibi conuenientem formauit. Magister Georgius Sabellicus, Faustus iunior, fons necromanticorum, astrologus, magus secundus, chiromanticus, agromanticus, pyromanticus, in hydra arte secundus. Vide stultam hominis temeritatem, quanta feratur insania, ut se fontem necromantiae profiteri praesumat, qui uere omnium bonarum literarum ignarus fatuum se potius appellare debuisset quam magistrum. Sed me non latet eius nequitia. Cum anno priore de Marchia Brandenburgensi redirem, hunc ipsum homi-

---

*) IOANNIS TRITEMII ABBATIS SPANHEmensis Epistolarum familiarium libri duo ad diuersos Germaniae Principes, Episcopos, ac eruditione praestantes uiros, quorum Catalogus subiectus est. HAGANOAE EX OFFICINA Petri Brubachij, 1536. IOAN. TRITE. AB. MONASTERII S. IAcobi in suburbio ciuitatis Herbipolensis Ioanni Virdungo de Hasfurt mathematico doctissimo salutem. p. 312.

**) Ebenso steht am Rande: Georgius Sabellicus.

nem apud Geilenhusen oppidum inueni, de quo
mihi plura dicebantur in hospitio friuola, non sine
magna eius temeritate ab eo promissa*). Qui mox ut
me adesse audiuit, fugit de hospitio, et a nullo poterat
persuaderi, quod se meis praesentaret aspectibus.
Titulum stulticiae suae qualem dedit ad te quem
memorauimus, per quendam ciuem ad me quoque
destinauit. Referebant mihi quidam in oppido sacer-
dotes, quod in multorum praesentia dixerit, tantam se
omnis sapientiae consecutum scientiam atque memo-
riam, ut si uolumina Platonis et Aristotelis omnia cum
tota eorum philosophia in toto perisset ab hominum
memoria, ipse suo ingenio uelut Ezras alter Hebrae-
us, restituere uniuersa cum praestantiore ualeret
elegantia. Postea me Neometi existente Herbipolim
uenit, eademque uanitate actus in plurimorum fertur
dixisse praesentia, quod Christi Saluatoris miracula non
sint miranda, se quoque omnia facere posse quae
Christus fecit quoties et quandocunque uelit. In ultima
quoque huius anni quadragesima uenit Stauronesum, et
simili stuliciae gloriosus de se pollicebatur ingentia,
dicens se in Alchimia omnium qui fuerint unquam esse
perfectissimum, et scire atque posse quicquid homines
optauerint. Vacabat interea munus docendi scholasti-
cum in oppido memorato, ad quod Francisci ab Sickin-

---

*) Hierzu findet sich die Randbemerkung: Fausti uanitas
insignis.

gen Baliui principis tui, hominis mysticarum rerum per-
cupidi promotione fuit assumptus, qui mox nefan-
dissimo formationis*) genere cum pueris uidelicet
uoluptari coepit, quo statim deducto in lucem fuga
poenam declinauit paratam. Haec sunt quae mihi
certissimo constant testimonio de homine illo, quem
tanto uenturum esse desyderio praestolaris. Cum
uenerit ad te, non philosophum, sed hominem fatuum
et nimia temeritate agitatum inuenies**).

Gleich ungünſtig lautet der Bericht des dem Fauſt
perſönlich bekannten Kanonikus zu Gotha, Konradus
Mutianus Rufus († 1526). Der gelehrte Freund
Reuchlins und Melanchthons gedenkt in einem Briefe
vom 3. Oktober 1513 des Zauberers mit folgenden

---

*) Zweifellos Druckfehler für fornicationis.

**) Auffällig iſt, daß Tritenheim dem Meiſter Haßfurt über
Fauſts pädagogiſche Thätigkeit Aufſchluß giebt, da dieſer bei ſeinem
regen Verkehr mit Sickingen doch weit beſſer darüber orientiert
ſein mußte. Wenn Fauſt in Kreuznach wirklich das Vertrauen
ſeines Protektors ſo ſchnöde mißbraucht hätte, wie Tritemius an-
nimmt, würde er ſchwerlich die Stirn gehabt haben, ſich unmittelbar
darauf zu deſſen Freund zu begeben. Daß thatſächlich Sickingen und
Virdung in engem freundſchaftlichen Verhältnis geſtanden haben,
geht u. a. aus einem (bei C. Münch, Franz von Sickingens Plane
II, 319 abgedruckten) Brief des Heidelberger Arztes Adam Warichter
hervor, der verſichert, daß „Juncker Franz von Sickingen ohne
Haſpurts Prognoſtication und Rath, kein fürtrefflich fürnehmen
vnd Handlung unterſtanden.“

Worten*): Venit octauo abhinc die quidam Chiro·
manticus Erphurdiam, nomine Georgius Faustus,
Helmitheus Hedebergensis, merus ostentator et fatuus.
Eius et omnium diuinaculorum vana est professio,
et talis physiognomia leuior typula. Rudes ad-
mirantur. in eum theologi insurgant. Non conficiant
philosophum Capnionem. Ego audiui garrientem
in hospitio. Non castigaui iactantiam. quid aliena
insania ad me?

Der nächste Gewährsmann, der Physikus der Stadt
Worms Philipp Begardi, äußert sich 1539 über Faust
folgendermaßen**): Es wirt noch eyn namhafftiger
dapfferer mann erfunden: ich wolt aber doch seinen namen
nit genent haben, so wil er auch nit verborgen sein,
noch onbekant. Dann er ist vor etlichen jaren vast durch

---

*) WILHELMI ERNESTI TENTZELII HISTORIO-
GRAPHI SAXONICI SVPPLEMENTVM HISTORIAE GO-
THANAE PRIMVM CONRADI MVTIANI RVFI CANONICI
QVONDAM GOTHANI AC INTER PRIMOS LITTERARVM
RESTAVRATORES CELEBERRIMI EPISTOLAS PLERVN-
QVE INEDITAS CARMINA ET ELOGIA COMPLECTENS.
IENAE SVMTV IOANNIS BIELCKII BIBLIOPOLAE. 1701.
Ex Epistola CXX. ad Vrbanum p. 95.

**) Index sanitatis. Eyn Schöns vnd vast nützlichs Büch-
lein, genant Zenger der Gesundtheint. — Durch Philippum
Begardi der freyen Kunst vnn Artznei Doctoren, der zeit der
Löblichen Keyserlichen Reichstatt Wormb's Physicum vnd Leib-
artzet. Wormbs 1539. p. XVII.

alle lanbtſchafft, Fürſtenthumb vnb Königreich gezogen,
ſeinen namen jederman ſelbs bekant gemacht, vnn ſeine
groſſe kunſt, nit alleyn ber artznei, ſonder auch Chiro-
mancei, Nigramancei, Viſionomei, Viſiones imm Criſtal,
vnn bergleichen mer künſt, ſich höchlich berümpt. Vnb
auch nit alleyn berümpt, ſonder ſich auch einen be-
rümpten vnb erfarenen menſter bekant vnnb geſchriben.
Hat auch ſelbs bekant, vnb nit geleugknet, baß er ſei,
vnnb heinß Fauſtus, bamit ſich geſchriben Philoſophum
Philoſophorum zc. Wie vil aber mir geklagt haben,
baß ſie von jm ſeinb betrogen worden, beren iſt eyn
groſſe zal geweſen. Nun ſein verheyſſen ware auch
groß wie bes Teſſali. Dergleichen ſein rhum, wie auch
bes Theophraſti: aber bie that, wie ich noch vernimm,
vaſt kleyn vnb betrüglich erfunden: boch hat er ſich imm
gelb nemen, ober empfahen (bas ich auch recht reb) nit
geſaumpt, vnb nachmals auch im abzugk, er hat, wie ich
beracht, vil mit ben ſerßen geſegnet. Aber was ſoll
man nun barzu thun, hin iſt hin.

Die erſte Nachricht von bem unſeligen Enbe bes
Fauſt findet ſich in ben Tiſchunterhaltungen bes proteſtantiſchen Pfarrers zu Baſel Johann Gaſt. In bem
im Jahre 1548 erſchienenen zweiten Banbe ſeiner convivales sermones erzählt er*): De Fausto Necromantico.

---

*) TOMVS SECVNDVS CONVIVALIVM SERMOnum,
partim ex probatissimis historiographis, partim exemplis
innumeris, quae nostro seculo acciderunt, congestus, omnibus

Diuertitur sub noctem in coenobium quoddam, ualde diues, pernoctaturus illic. Fraterculus apponit illi uile uinum, pendulum, ac nihil gratiae habens. rogat Faustus ut ex uase altero hauriat melius uinum, quod nobilibus dare consueuerat. Fraterculus mox dixit, Claues non habeo, Prior dormit, quem exuscitare piaculum est. Faustus inquit, Claues iacent in isto angulo, has accipe, et uas illud ad sinistrum latus aperi, et adfer mihi potum. Fraterculus renuit, sibi non esse commissum a Priori aliud uinum hospitibus proponere. Faustus ijs auditis, iratus dixit, Videbis breui momento mira inhospitalis fratercule. Abijt summo mane insalutato hospite, ira accensus, ac immisit satanam quendam furibundum, die noctuque in coenobio perstrepentem, omnia mouentem tam in ecclesia quam in ipsis habitationibus monachorum, adeo ut quietem nullam habere possint, quodcunque negotium atttentarent. Tandem deliberarunt, an coenobium esset relinquendum, aut omnino pereundum. Palatino itaque scripserunt de infortunio illo, quo tenebantur. Qui coenobium in suam recepit defensionem, abiectis monachis, quibus alimenta prastat in singulos annos, reliqua sibi seruat. Aiunt quidam, etsi adhuc hodie monachi coenobium intrent, tantas

---

uerarum uirtutum studiosis, utilissimus. Nunc primum in lucem editus. BASILEAE. M. D. XLVIII. p. 280 unb 281.

turbationes fieri, ut quietem incolentes habere non possint. Hoc nouit satan instituere. — Aliud de Fausto exemplum. Basileae cum illo coenatus sum in collegio magno, qui uarij generis aues, nescio ubi emerat, aut quis dederat, cum hoc temporis nullae uenderentur, coquo ad assandum praebuerat. quales etiam ego nunquam in nostris regionibus uiderim. Canem secum ducebat et equum, Satanas fuisse reor, qui ad omnia erant parati exequenda. Canem aliquando serui formam assumere, et esculenta adferre, quidam mihi dixere. Atqui miser deplorandum finem sortitus est, nam a satana suffocatus, cuius cadauer in feretro facie ad terram perpetuo spectans, etsi quinquies in tergum uerteretur.

Ein weiterer Zeuge ift der seiner Zeit hochbe=rühmte Zürcher Naturforscher Konrad Gesner, der in einem Briefe vom 16. August 1561 sich dem Arzt Johann Krato von Krafftheim gegenüber dahin aus=spricht*): Oporinus Basileae olim discipulus Theophrasti, et familiaris fuit, is mira de eius cum daemonibus commercio praedicat. Astrologiam vanam, Geomantiam, Necromantiam, et huius modi artes

---

*) EPISTOLARVM MEDICINALIVM, CONRADI GES-NERI, PHILOSOPHI ET MEDICI TIGVRINI, LIBRI III. TIGVRI EXCVDEBAT CHRISTOPH. FROSCH. ANNO MDLXXVII. Liber primus, CONRADVS GESNERVS IO-ANNI Cratoni a Crafftheim, S. Caes. Maiest. Medico intimo. p. 2.

prohibitas exercent. Equidem suspicor illos ex Druidarum reliquijs esse, qui apud Celtas veteres in subterraneis locis a daemonibus aliquot annis erudiebantur: quod nostra memoria in Hispania adhuc Salamancae factitatum constat. Ex illa schola prodierunt, quos vulgo scholasticos vagantes nominabant, inter quos Faustus quidam non ita pridem mortuus, mire celebratur.

Von großer Wichtigkeit ist das Zeugnis des Johannes Manlius (Mennel), der nach Mitteilungen Melanchthons berichtet. In seiner Sammlung von Gemeinplätzen erzählt er im Jahre 1562*): Noui quendam nomine Faustum de Kundling, quod est paruum oppidum patriae meae uicinum. Hic cum esset Scholasticus Cracouiensis, ibi magiam didicerat, sicut ibi olim fuit eius magnus usus, et ibidem fuerunt publicae

---

*) LOCORVM communium collectanea: A IOHANNE MANLIO per multos annos, tum ex Lectionibus D. PHILIPPI MELANCHTONIS, tum ex aliorum doctissimorum virorum relationibus excerpta, et nuper in ordinem ab eodem redacta, iamque postremum recognita: IN QVIBVS VARIA NON SOLVM uetera, sed in primis recentia nostri temporis Exempla, Similitudines, Sententiae, Consilia, Bellici apparatus, Stratagemata, Historiae, Apologi, Allegoriae, Sales, et id genus alia utilissima continentur: non solum Theologis, Jurisperitis, Medicis, studiosis artium, uerum etiam Rempublicam bene et feliciter administraturis, cognitu cum primis necessaria. Basileae MDLXII. p. 38.

eiusdem artis professiones. Vagabatur passim, dicebat
arcana multa. Ille Venetijs cum uellet ostendere
spectaculum, dixit se uolaturum in coelum. Diabolus
igitur subuexit eum, et afflixit adeo ut allisus humi
pene exanimatus esset: sed tamen non est mortuus.
Ante paucos annos idem Johannes Faustus, postremo
die sedit admodum moestus in quodam pago ducatus Vuirtenbergensis. Hospes ipsum alloquitur,
cur moestus esset praeter morem et consuetudinem
(erat alioqui turpissimus nebulo, inquinatissimae
uitae, ita ut semel atque iterum pene interfectus sit
propter libidines) ibi dixit hospiti in illo pago:
Ne perterrefias hac nocte. Media nocte domus
quassata est. Mane cum Faustus non surgeret,
et iam esset fere meridies, hospes adhibitis alijs,
ingressus est in eius conclaue, inuenitque eum iacen-
tem prope lectum inuersa facie, sic a diabolo interfectus. Viuens adhuc, habebat secum canem, qui
erat diabolus, sicut iste nebulo qui scripsit De
uanitate artium etiam habebat canem, secum cur-
rentum, qui erat diabolus. Hic Faustus in hoc
oppido Vuitenberga euasit cum optimus princeps
dux Joannes dedisset mandata de illo capiendo.
Sic Norinbergae etiam euasit, cum iam inciperet
prandere, aestuauit, surgitque statim, soluens quod
hospiti debebat, uix autem uenerat ante portam,
ibi ueniunt lictores, et de eo inquirunt. Idem

Faustus magus, turpissima bestia, et cloaca multorum diabolorum, uane gloriabatur de se omnes
uictorias, quas habuerunt Caesariani exercitus in
Italia, esse partas per ipsum sua magia. Idque
fuit mendacium uanissium.

Auch die im Jahre 1566 abgeschlossene, sehr gewissen=
haft gearbeitete Chronik des Grafen Froben Christoph
von Zimmern enthält zwei Notizen über Faust. Es
heißt dort*): Das aber die pratik solcher kunst nit
allain gottlos, sonder zum höchsten sorglich, das
ist unlaugenbar, dann sich das in der erfarnus beweist, und wissen, wie es dem weitberüempten
schwarzkünstler, dem Fausto, ergangen. Derselbig
ist nach vilen wunderbarlichen sachen, die er bei
seinem leben geiebt, darvon auch ain besonderer
tractat wer zu machen, letzstlich in der herrschaft
Staufen im Preisgew in grossem alter vom bösen
gaist umbgebracht worden.

Die andere Stelle lautet: Es ist auch umb die
zeit**) der Faustus zu oder doch nit weit von

---

*) ZIMMERISCHE CHRONIK HERAVSGEGEBEN VON
KARL AVGVST BARACK ZWEITE VERBESSERTE AVF-
LAGE FREIBURG I/B. VND TÜBINGEN 1881. I, p. 577
und III, p. 529 und 530.

**) Gemeint kann nicht die Zeit vor 1540 sein, wie sich
aus der dem Bericht über Faust unmittelbar folgenden Erzählung
ergiebt, die beginnt: In disem jar, anno 154*, ist gestorben
ein abenteurlicher mair zu Bromberg, ...

Staufen, dem stetlin in Breisgew, gestorben. Der
ist bei seiner zeit ein wunderbarlicher nigromanta
gewest, als er bei unsern zeiten hat mögen in deutschen landen erfunden werden, der auch sovil selt-
zamer hendel gehapt hin und wider, das sein in
vil jaren nit leuchtlichen wurt vergessen werden.
Ist ain alter mann worden und, wie man sagt,
ellengclich gestorben. Vil haben allerhandt anzei-
gungen und vermuetungen noch vermaint, der bös
gaist, den er in seinen lebzeiten nur sein schwager
genannt, hab ine umbbracht. Die büecher, die er
verlasen, sein dem herrn von Staufen, in dessen
herrschaft er abgangen, zu handen worden, darumb
doch hernach vil leut haben geworben und daran
meins erachtens ein sorgclichen und unglückhaftigen
schatz und gabe begert. Den münchen zu Lüx-
haim im Wassichin hat er ain gespenst in das closter
verbannet, desen sie in vil jaren nit haben künden
abkommen und sie wunderbarlich hat molestirt,
allain der ursach, das sie ine einsmals nit haben
wellen übernacht behalten, darumb hat er inen den
unrüebigen gast geschafft.

Ein paar neue Streiche von Fauſt weiß der nieder-
länbiſche Arzt Johannes Wier (ober Weiher, Piscinarius,
1515—1588) mitzuteilen *): Joannes Faustus **) ex

———

*) IOANNIS VVIERI DE PRAESTIGIIS DAEMOnum,
et incantationibus ac ueneficiis Libri sex, postrema editione

Kundling oppidulo oriundus, Cracouiae magiam, ubi olim docebatur palam, didicit, eamque paucis annis ante quadragesimum supra sesquimillesimum, cum multorum admiratione, mendacijs et fraude multifaria in diuersis Germaniae locis exercuit. Inani iactantia et pollicitationibus nihil non potuit. Exemplo uno artem ea conditione Lectori ostendam, ut se non imitaturum, mihi prius fidem faciat. Hic sceleris ergo captus Batoburgi in Mosae ripa ad Geldriae fines, barone Hermanno absente, mitius ab eius sacellano D. Joanne Dorstenio tractabatur, quod huic uiro bono, nec callido, plurium rerum cognitionem artesque uarias polliceretur. Hinc et tam diu uinum, quo Faustus unice afficiebatur, prompsit ille, donec uas euacuaretur. Quod ubi Faustus intelligeret, atque Graviam sibi abeundum esse, ut raderetur barba, diceret alter: uinum is si adhuc curaret, artem denuo promittit singularem, qua citra nouaculae usum, tolleretur barba. Conditione accepta, arsenico confricari eam citra ullam praeparationis mentionem iubet: adhibitaque illinitione, tanta successit inflammatio, ut non modo pili, sed et pellis cum carne exureretur. Cum stomacho idem ille mihi

sexta, aucti et recogniti. BASILEAE, EX OFFICINA Oporiniana 1583. DE MAGIS INFAMIBVS, LIBER SECVNDVS. cap. IIII. p. 157—159.

**) Als Randbemerkung steht: Faustus magus famosus.

facinus hoc non semel recensuit. Alius mihi non in-
cognitus, barba nigra, reliqua facie subobscura, et
melancholiam attestante (spleneticus etenim erat)
quum Faustum accederet, incunctanter hic ait: Pro-
fecto te sororium meum esse existimabam, pedibus
tuis mox obseruatis, num longae et incuruae in ijs
prominerent ungulae: ita hunc daemoni assimilans,
quem ad se ingredi arbitraretur, eundemque affinem
appellare consueuit. Hic tandem in pago ducatus
Vuirtenbergici inuentus fuit iuxta lectum mortuus
inuersa facie, et domo praecedenti nocte media,
quassata, ut fertur. Ludimoderator apud Goslari-
enses ex Fausti magi, uel uerius infausti mali doc-
trina instructus, modum quo carminibus in uitro
coerceretur satan, didicit. Ut itaque impediretur
a nemine, die quodam in syluam abijt: ubi in ma-
gica execratione aberranti apparuit daemon horrenda
admodum forma, oculis flammeis, naribus ad cornu
bubuli morem intortis, oblongis dentibus, aprinis
non dissimilibus, genis felem referentibus, et in uni-
uersum terribilis. Hoc idolo terrefactus hic pro-
sternitur, iacetque horas aliquot semimortuus. Tandem respiranti nonnihil, atque ad ciuitatis portas
progredienti, quidam familares obuij, uultus mutati,
pallorisque causam rogant. Hic tremens et uelut
furibundus obmutuit, domumque ductus horrendos
edere sonos, et prorsus insanire coepit. Anno

tandem exacto fari denuo incipit, et ea specie sibi
daemonem apparuisse narrat. Coenae uero Domi-
nicae communionem ubi tum celebrasset, tertio post
die se Deo commendans, calamitosae uitae ualedixit.

Mehrfach erwähnt wird auch Fauſt in Lercheimers
1585 herausgegebenem „Chriſtlich Bedencken vnd Er=
innerung“. Die betreffenden Stellen lauten*): Vn=
ſchädlich/ doch ſünblich/ war der poſſe ben Joh. Fauſt
von Knüttlingen machte zu M. im Wirtshauß/ da er
mit etlichen ſaß/ vnn ſaufft einer dem andern halb vnnd
gar auß zu/ wie der Sachſen vnnd auch anderer Deut=
ſchen gewohnheit iſt. Da jm nun des Würts jung ſeine
Kante ob' Becher zu vol ſchenckte/ ſchalt er jn/ brawete
jhm/ er wölle jhn freſſen/ wo ers mehr thete. Der
ſpotte ſeiner/ Ja wol freſſen/ ſchenckete jm abermal zu
vol. Da ſperret Fauſt ſein maul auff/ frißt jn. Er=
wiſcht barnach den Kübel mit dem Külwaſſer/ ſpricht/
Auff einen guten biſſen gehört ein guter trunck/ ſaufft
bas auch auß. Der Wirt redet dem Gaſt ernſtlich zu/
er ſol jm ſeinen Diener wiber verſchaffen/ ob' er wöll

---

*) Chriſtlich Bedencken vnd Erinnerung von Zauberey/ Waher/
was/ vnd wie vil ſältig ſie ſey/ welchem ſie ſchaden könne ober
nicht/ wie dieſem Laſter zu wehren/ vnd die/ ſo bamit behafft/
zu bekehren/ ober auch zu ſtraffen ſeien. Geſchrieben burch Au-
guſtin Lercheimer von Steinfelden. Jetzund auffs new gemehret
vnd gebeſſert. Getruckt zu Straßburg. MDLXXXVI. c. 7, 13,
15, 16, 19. p. 63—65, 125—128, 161—162, 202—203, 244.

3*

sehen was er mit jm anfange. Fauſt hieß jn zufriden
ſein / vnd hinder den Ofen ſchawen. Da lag der Jung /
bebete von ſchrecken / war aller naß begoſſen. Dahin
hatte jn der Teuffel geſtoſſen / das waſſer auff jhn ge-
ſtürtzt den Zuſehern die augen bezaubert / daß ſie dauchte
er wer gefreſſen / vnd das waſſer geſoffen. — Wir leſen
daß der Teuffel Simonem den Zauberer (deſſen inn der
Apoſtelgeſchichten meldung geſchiehet) hab zu Rom in der
Lufft umbher geführet / vnd ihn fallen laſſen / daß er
den halß zerbrach. Wie er dem Fauſt thete zu Venedig /
der aber mit dem leben dauon kam . . . Alſo fuhr
Fauſt ein mal inn der Faßnacht mit ſeiner Geſellſchaft /
nach dem ſie daheim zu nacht geſſen hatten / zum Schlaff-
trunck auß Meiſſen in Beyern gehn Saltzburg ins Bi-
ſchoffs Keller ober ſechtzig meile / da ſie den beſten
Wein truncken. Vnd da der Kellermeiſter ohngefehr
hinein kam / ſie als Diebe anſprach / macheten ſie ſich
wider dauon / namen ihn mit / biß an einen Wald / da
ſetzet jn Fauſt auff ein hohe Tanne / vnd ließ jhn ſitzen /
flog mit den ſeinen fort. — Der vnzüchtige teuffeliſche
Bube Fauſt hielt ſich ein weil zu Wittenberg / kam etwan
zum herrn Philippo / d' laß jm dann ein guten Text /
ſchalte vnd vermahnet jhn / daß er von dem bing bey-
zeit abſtünde / es würde ſonſt ein böß end nemmen / wie
es auch geſchahe. Er aber keret ſich nicht daran. Nun
wars ein mal omm zehen uhr / daß der Herr Philippus auß ſeinem ſtudier Stüblin herunder gienge zu

Tiſch / war Fauſt bey jhm / ben er da hefftig geſcholten
hatte. Der ſpricht wiber zu jm / Herr Philippe / jr
fahret mich alle mal mit rauhen worten an / Ich wils
ein mal machen / wann jr zu tiſche gehet / dz alle Häfen
in ber Kuchen zum Schornſtein hinauß fliegen / daß jr
mit ewern Geſten nicht zu eſſen werbet haben. Darauff
antworte jm herr Philippus / Das ſoltu wol laſſen / ich
ſchiſſe bir in deine Kunſt. Vnn er ließ es auch. Ein
anber alter Gottsförchtiger Mann vermanete jn auch /
er ſolte ſich beferen. Dem ſchickte er zur Danckſagung
einen Teuffel inn ſein Schlaffkammer / ba er zu Bett
gieng / baß er jn ſchreckte. Gehet umbher inn ber
Kammer / kröchet wie ein Saw. Der Mann aber wol
gerüſt im Glauben / ſpottete ſein / Ey wie ein feine ſtimm
vnb geſang iſt das eines Engels / der im Himmel nicht
bleiben konte / iſt von wegen ſeiner Hoffart barauß ge=
ſtoſſen / gehet jetzt in ber Leut heuſer verwandelt in ein
Saw / ꝛc. Damit zeihet der Geiſt wiber heim zum Fauſt /
klaget jm wie er da empfangen vnb abgewieſen ſey.
Wolte ba nicht ſeyn / ba man jm ſeinen Abfall vnn vn=
heil verweiß / vnb ſein barüber ſpottete. — Zur zeit
D. Luthers vnnd Philippi hielt ſich d' Schwartzkünſtler
Fauſt / wie obgemelt / ein weile zu Wittemberg / das
ließ man ſo geſchehen / der hoffnung / er würde
ſich auß ber Lehr / die ba im ſchwang gieng / bekehren
vnb beſſern. Da aber das nicht geſchahe / ſonbern
er auch andere verführte (beren ich einen gekant /

mit eim verkrümbten maul / wann ein Hasen wolte
haben / gieng er inn Wald / da kam er jm in die hende
gelauffen) hieß jn / den Faust / der Fürst einziehen in
Gefengnuß. Aber sein Geist warnete jhn / daß er dauon
kame. Von dem er nicht lang darnach grewlich getöbtet
warde / als er jhm vier vnd zwentzig jar gedienet hatte.
— Der vielgemelte Faust / hat jhm ein mal fürgenommen
sich zu bekeren / da hat ihm der Teuffel so hart gebrawet /
so bang gemacht / so erschreckt / dz er sich jhm auch auffs
new hat verschrieben.

Erst fünfzehn Jahre nach dem Erscheinen des Volks=
buches verfaßt, aber sehr wertvoll ist der Bericht des
Juristen Philippus Camerarius. Nach Mitteilungen
von Augenzeugen, vielleicht nach der Angabe seines dem
Melanchthon eng befreundeten Vaters Joachim Came=
rarius schreibt er*): Apud nos adhuc (vt Scymnum
Tarentinum Philistidem Syracusium, Heraclitum Mi-
tylenaeum, quos praestigiatores praestantiss. et ele-
gantiss. tempore Alexandri Magni fuisse legimus

*) OPERAE HORARVM SVBCISIVARVM, SIVE ME-
DITATIONES HISTORICAE, AVCTIORES quam antea editae.
Continentes accuratum delectum memorabilium Historiarum,
et rerum tam veterum, quam recentium, singulari studio inuicem
collaturum, quae omnia lectoribus et vberem admodum fructum,
et liberalem pariter oblectationem afferre poterunt. CENTV-
RIA PRIMA. PHILIPPO CAMERARIO I. F. IVRISCONSVLTO,
ET REI PVP. NORIcae a Consiliis, auctore. FRANCO-
FVRTI, anno cIc. Ic. cII.

praetereamus*) notum est, inter praestigiatores et ma-
gos, qui patrum nostrorum memoria innotuerunt, ce
lebre nomen, propter mirificas imposturas, et fasci-
nationes diabolicas, adeptum fuisse Johannem Faustum
Cundlingensem, qui Cracouiae magiam, vbi ea olim
publice docebatur, didicerat, adeo vt ex plebe pro-
pemodum nullus reperiatur, qui non aliquod docu-
mentum eius artis commemorare possit, illique eadem
ludibria, quae modo de mago Bohemo diximus,
ascribantur. Quemadmodum autem horum praesti-
giatorum vita similis fuit, ita vterque horrendo modo
in viuis esse desiit. Faustus enim, ut fertur, et a
Wiero recensetur**), in pago ducatus Wirtenbergici
inuentus fuit iuxta lectum mortuus, inuersa facie, et
domo praecedenti nocte media quassata. Alter autem,
vt paulo ante diximus, viuus a suo Magistro raptus
est. Haec sunt praemia digna curiositatis impiae
et sceleratae. Sed ad Faustum redeamus. Equidem
ex iis qui hunc impostorem probe nouerunt, multa
audiui, quae declarant ipsum artificem Magicae artis (si
modo ars est, non vaniss. cuiusque ludibrium) fuisse.
Inter alia autem eius facta, vnum prae ceteris, licet
ridiculum videatur, tamen vere diabolicum narratur.
Etenim apparet ex eo, quam subdole et serio, etiam
in rebus quae ludricae nobis videntur, mille artifex

---

*) Als Randbemerkung: Atheneus lib. 12. cap. 18. dipnosoph.
**) Als Randbemerkung: Lib. 2. cap. 4.

ille saluti et incolumitati hominum insidietur. Me-
rito igitur non ferenda est eorum leuitas, vel potius
peruersa impietas, qui dum aliquam delectatiunculam,
vt ipsi putant, innocuam quaerunt, interea non per-
pendunt, quod immemores sacri foederis, cum hoste
acerrimo (qui vel instar leonis rugientis circumam-
bulando, vt sacrae literae nos monent, vel sicut feles,
quae magno silentio, et leuibus vestigiis auiculis obre-
punt, insidiando, praedam indefessus sectatur. Vnde
Chrysost. dicit*). Si gentes non habes, quae te perse-
quantur, habes principem gentium diabolum, qui
hominem persequi nunquam cessat) cum hoc, in-
quam, hoste acerrimo salutis suae quasi colludant,
et ex castris CHRISTI, vt perfugae ad Sathanam,
velut induciis factis transeant**). Voluit enim DEVS
qui homines ad hanc militiam genuit, expeditos in
acie stare, et intentis acriter animis ad vnius hostis
insidias, vel apertos impetus vigilare; qui nos sicut
periti et exercitati duces solent, variis artibus cap-
tat, pro cuiusque moribus et natura saeuiens. Fausti-
nam igitur deceptionem ferunt eiusmodi fuisse. Quuam
aliquando is apud notos quosdam diuerteret, qui
de ipsius praestigiatricibus actionibus multa audiue-
rant, ij petierunt ab eo, vt aliquod specimen suae
magiae exhiberet. Hoc quum diu recusasset, tandem

*) Als Randbemerkung: Homil. 34.
**) Als Randbemerkung: Lactantius lib. 6. c. 4. de vero cultu.

importunitate sodatitij, neutiquam sobrij victus, promisit, se illis exhibiturum quodcunque expeterent.
Vnanimi igitur consensu petierunt, vt exhiberet illis
vitem plenum vuis maturis. Putabant autem propter alienum anni tempus (erat enim circa brumam)
hoc illum praestare nullo modo posse. Assensit
Faustus, et promisit iam iam mensa conspectum
iri, id quod expeterent: sed hac conditione, vt omes
magno silentio immoti praestolarentur, donec illos
iuberet vuas decerpere: si secus facerent, instare
illis periculum capitis. Hoc quum se facturos rece-
pissent, mox ludibriis suis, huic ebriae turbae ita
oculos et sensus praestrinxit, vt illis tot vuae mirae
magnitudinis, et succi plenae, in vite pulcherrima
apparerent, quot ipsorum adessent. Rei itaque no-
uitate cupidi, et ex crapula sitibundi, sumtis suis
cultellis expectabant, vt illos iuberet rescindere vuas.
Tandem quum istos leuiculos aliquamdiu suspensos
in ipsorum vanissimo errore tenuisset Faustus; su-
bito in fumum abeunte vite vna cum suis vuis,
conspecti sunt singuli tenentes loco vuae, quam
vnusquisque apprehendisse videbatur suum nasum.
opposito superne cultello, ita vt si quis immemor
praecepti dati, iniussus vuas secare voluisset, se
ipsum naso mutilasset.

Diese glaubwürdigen Zeugnisse stellen die Existenz
eines historischen Faust außer Zweifel. Doch ist eine

genauere Untersuchung über seine Persönlichkeit, über sein Thun und Treiben darum sehr erschwert, weil die späteren Berichte nicht historisch rein gehalten sind, sondern stark von der Sage beeinflußt erscheinen. Was Gast von dem Poltergeist ohne Angabe der Quelle mitteilt, scheint er dem Volksmund nachzuerzählen und aus der selbsterlebten, an und für sich höchst ungefährlichen Vogelaffaire macht der wundergläubige Mann eine Zaubergeschichte. Selbst in dem ausführlichen, sehr schätzenswerten Bericht des Manlius geht Geschichte und Sage bunt durcheinander. Den gescheiterten Flugversuch zu Venedig, das elende Ende des Zauberers, die schmähliche Flucht aus Nürnberg erzählt der Schüler Melanchthons offenbar nach der Tradition und die Behauptung, alle Siege der kaiserlichen Heere in Italien seien durch Fausts magische Künste gewonnen, erklärt er selbst für eine freche Lüge. Aber auch die von Manlius als geschichtlich berichteten Angaben haben für uns nicht historischen Wert, weil nicht feststeht, wann Melanchthon die Bekanntschaft des Faust machte. Wir wissen nur von einem Verkehr der beiden Leute zu Wittenberg um das Jahr 1530*), und es ist zweifelhaft, ob Melanchthon schon

---

*) Wie aus dem Universitäts-Album hervorgeht, studierte ein Johannes Faust in Wittenberg einige Zeit früher, im Jahre 1518. ALBUM ACADEMIAE VITEBERGENSIS AB A. CH. MDII USQUE AD A. MDLX. EX AUTOGRAPHO EDIDIT CAROLUS EDUARDUS FOERSTEMANN. THEOLOGIAE

in der Jugend einen Fauſt aus Kundling kannte, zumal Fauſt aller Wahrſcheinlichkeit nach damals einen anderen Namen führte. Dagegen iſt es wohl denkbar, daß Fauſt ſich dem Melanchthon in Wittenberg als aus Kund= ling, einem zwei Stunden von deſſen Heimat Bretten entfernten Städtchen, gebürtig vorſtellte in der Hoffnung, als Landsmann ihm eher näher treten zu können. Gleich dieſer Nachricht kann Melanchthon auch die weitere Mit= teilung, Fauſt habe in Krakau die Magie ſtudiert, wo ſie öffentlich vorgetragen wurde, aus Fauſts eigenem Munde erfahren haben, der in ſeiner Wichtigthuerei nicht ſelten dergleichen vorſpiegelte. Wenigſtens iſt in den Krakauer Studenten=Verzeichniſſen ſein Name nicht zu finden. Unſicher wie über ſeine Geburt ſind die Nachrichten über ſeinen Tod. Aus dem Bericht Begarbis geht hervor, daß Fauſt 1539 in Deutſchland nicht mehr ſein Weſen trieb. Darum konnte er aber noch immer unter den Lebenden weilen; möglich, daß er ſich zu dieſer Zeit in Italien aufhielt, wo er den kaiſerlichen Heeren zum Siege verholfen haben wollte. Gaſts ſagenhafte Beſchreibung von dem ſchrecklichen Ende nennt weder

ET PHILOSOPHIAE DOCTOR. LIPSIAE SUMTIBUS ET TYPIS CAROLI TAUCHNITII. 1841. p. 77 und 78: Sub rectoratu Domini Magnifici Bartholomei Bernhardi de Velt-kirchen Sacre Theologie Baccalaurii formati Infrascripti sunt in album relati Anno Domini MDDecimo octauo per hyemale semestre als der 54 unter 120: Johannes Faust Mölbergen, dioc. Mis: 18 Januarij.

Zeit noch Ort des Todes. Manlius verlegt in seiner
noch weiter ausgeschmückten Erzählung den Tod in Fausts
Heimat Würtemberg. Nach Wiers Angabe starb Faust
gegen Ende der dreißiger Jahre. Die zuverlässigste Nachricht hierüber scheint die zwischen Geschichte und Sage
scharf scheidende Zimmerische Chronik zu enthalten, nach
der Faust um oder nach 1540 zu Staufen im Breisgau
umgebracht wurde. — Alle diese Berichte, soweit sie
auseinandergehen, darin stimmen sie überein: Faust
war eine historische Persönlichkeit, die in der ersten
Hälfte des sechzehnten Jahrhunderts einen tiefgehenden,
nicht leicht zu verwischenden Eindruck machte. Ein halb-
gebildeter Gaukler, durchzog er nach Art der fahrenden
Schüler die Lande von früher Jugend bis ins späte
Alter, sich ungestraft übermenschlicher Weisheit rühmend.
Er gab sich für den Gelehrtesten aller Gelehrten und
für einen Meister in der Magie aus. So rühmte er
sich im Frühjahr 1506 in Gelnhausen großer Gelehrsamkeit
und nahm eiligst Reißaus, als er von der Ankunft des
gelehrten Tritemius hörte. So renommierte er im Herbst
desselben Jahres in Würzburg und dokumentierte in den
Fasten des folgenden seine Unfähigkeit als Schullehrer
zu Kreuznach. So ließ er später in Erfurt sein Licht
leuchten und es scheint, als habe er auch hier, wie
überall, ein gläubiges, von ihm begeistertes Publikum
gefunden. Der große Theoretiker war auch ein tüchtiger
Praktiker. Zum Beweise der Echtheit seiner Kunst gab

er Proben derselben, indem er bald gegen den leicht=
gläubigen Gast in Basel einen harmlosen Streich verübt,
bald dem beschränkten Kaplan zu Batenburg einen argen
Possen spielt. Ein herumvagabondierender Abenteurer
und Prahlhans, ein Magier und Betrüger, ein Possen=
reißer und Preller: Das ist der historische Faust. —
Sein eigentlicher Name scheint nicht Faust gewesen zu
sein. Auf der dem Tritemius nach den Regeln des
Anstandes übermittelten Karte nennt er sich Georgius
Sabellicus und Faustus iunior ist unstreitig ein prahleri=
scher, ihn als Glückskind charakterisierender Titel oder
Beiname. Leider hat es bisher nicht recht gelingen
wollen, dem Faustus senior, dem Ideal unseres Faust,
auf die Spur zu kommen. Ob der Manichäer Faust,
der den Augustin täuschte, ob irgend ein im fünfzehnten
Jahrhundert besonders hervorgetretener Zauberer, namens
Faust, ob Johannes Faust ex Simern oder Johannes
Faust aus Mühlberg als der ältere Faust anzusehen
ist, bleibt vorläufig noch eine offene Frage. Jedenfalls
ist Sabellicus, nach derzeitiger Mode aus Sabell oder
Savels latinisiert, der Hauptname und Faustus iunior
ein Beiname, ebenso auf einen berühmten Vorgänger
deutend wie der weitere Titel magus secundus auf
den Simon Magus, der dem Petrus zu schaffen machte,
als ersten Magier hinweist. Den Beinamen Faust muß
Sabellicus bald zum Hauptnamen erhoben haben, denn
sechs Jahre später nennt er sich in Erfurt Georgius

Faustus Helmitheus Hedebergensis. Die hier vorge=
nommene Konjektur Hemitheus Hedelbergensis ist sehr
ansprechend *), wenn nur eine Beziehung Fausts zur
Heidelberger Universität nachzuweisen wäre. Daß Georg
Faust diese Universität besucht habe, ist nirgends erwähnt,
aber aus den Universitäts=Akten geht hervor, daß im
Jahre 1509 ein Johannes Faust ex Simern bei der
philosophischen Fakultät der Universität Heidelberg in=
scribiert war und sich als der erste unter den sechzehn
befand, die am 15. Januar 1509 „ad baccalaureatus
gradum de via moderna ordine admissi sunt". Es
ist nicht unmöglich, daß sich Georg Faust nach diesem
älteren Heidelberger Johann Faust den jüngeren Faust
nannte; wahrscheinlich, daß er von ihm den Titel Halb=
gott von Heidelberg hergenommen hat. Da wirklich ein
Faust in Heidelberg studiert und promoviert hatte, konnte
der Prahlhans sich mit größerer Zuversicht als einen
Zögling der Heidelberger Alma mater ausgeben.
Warum Faust gerade Heidelberg für den Ort seiner
Studien gehalten wissen wollte, ist leicht begreiflich.
Heidelberg war damals der Sammelpunkt vieler edlen
Kräfte, der geistige Mittelpunkt von ganz Süddeutschland.
In Heidelberg hatte der gefeierte Johann v. Dalberg
gewirkt, lehrte der hochgebildete Rudolf Agricola, begründete

*) Neuerdings habe ich die schriftliche und mündliche Ver=
sicherung erhalten, in der Handschrift stehe wirklich Hedelbergensis.

Konrad Celtes die rheinische Gesellschaft, mit der Johann
Reuchlin in lebhafter Verbindung blieb; in Heidelberg
hatte Melanchthon seine Studien gemacht, in Heidelberg
wollte auch Faust zur Schule gegangen sein. — Vielfach
ist die Ansicht verbreitet, daß der Faust, von dem
Tritemius und Rufus berichten, nicht identisch sei mit
dem Faust, den Gast und die folgenden Zeugen im Auge
haben. Ein Georg Faust soll von 1506 bis etwa 1520,
ein zweiter Johann Faust in den dreißiger Jahren auf=
getreten sein. Diese Annahme hat jedoch wenig für sich.
Daß der Faust, der 1506 im Mannesalter stand und
ja sehr alt wurde, erst um 1540 gestorben sei, ist sehr
möglich, und daß aus jenen denkwürdigen Jahren der
Reformation, wo der Magier etwas in den Hintergrund
getreten sein wird, keine zeitgenössischen Berichte vorliegen,
kann nicht Wunder nehmen. Auch die Verschiedenheit
der Vornamen berechtigt nicht zur Annahme zweier
Zauberer dieses Namens. Tritemius und Rufus eifern
gegen einen Georg Faust, Manlius und Wier erzählen
von einem Johann Faust aus Kundling. Es unterliegt
keinem Zweifel, daß der Vorname Georg bald wegge=
lassen wurde und allmählich in Vergessenheit geriet; der
Wundermann wurde dann lange Zeit hindurch, wie bei
Begardi und Gast, schlechthin Faust genannt und später
tauchte der falsche, dem Volke geläufigere, wahrscheinlich
durch eine Verwechselung mit dem Heidelberger oder dem
älteren Wittenberger Faust hereingekommene Vorname

Johann auf. Daß Tritemius und Manlius nicht zwei
verschiedene Fauste meinen, erhellt aus der merkwürdi=
gen Ähnlichkeit der beiden Berichte. Von dem einen
Faust wird dasselbe berichtet wie von dem andern.
Georg Faust war in steter Wanderschaft begriffen,
nannte sich fons necromanticorum, konnte alle Wun=
der Christi wiederholen und die Werke des Plato und
Aristoteles, wenn sie verloren gingen, besser als sie bis=
her vorhanden, aus dem Gedächtnis wiederherstellen.
Johann Faust lag gleichfalls ewig auf der Landstraße,
schrieb sich philosophus philosophorum, konnte in
die Luft fliegen und mit Hülfe der Magie Siege
erfechten. Scheint demnach die Annahme eines zwei=
ten Johann Faust unberechtigt, so kann andererseits
auch die entgegengesetzte Ansicht, die beide Fauste identi=
fiziert, nicht unbedingt für richtig gelten. Johann Faust
ist Georg Faust und doch ein anderer: Georg ist der
historische, Johann der mythische Faust.

Ganz allmählich scheint sich der mythische Johann
Faust aus dem historischen Georg Faust entwickelt zu
haben. Diese Entwickelung ist bedingt durch den herr=
schenden Zeitgeist einerseits und den Charakter des Helden
andererseits: Die Wiederbelebung des klassischen Alter=
tums in Italien hatte bekanntlich auch auf deutschem
Boden eine radikale Veränderung der ganzen Denkweise
zur Folge gehabt. Die mittelalterlichen Fesseln waren
abgestreift, die alten Anschauungen und Ziele verworfen.

Die Wissenschaft, befreit von dem Drucke der Scholastik, hatte neue Bahnen eingeschlagen und lehrte in freier Forschung, unbekümmert um die Autorität einer althergebrachten Tradition, die lautere Wahrheit erkennen. Aus dem Staube der Klöster hatte man die genialen Schöpfungen der römischen Dichter und des Homer hervorgesucht, aus dem Schoße der Erde die unvergleichlichen Werke der griechischen Künstler gegraben. Vor allen Disziplinen hatte sich die Mathematik und Astronomie von dem toten, unfruchtbaren Formelwesen abgewandt und suchte lebendige, nutzbringende Beziehungen zum Leben. Die rapiden Fortschritte der Naturwissenschaften erregten die Aufmerksamkeit der weitesten Kreise. Nicht bloß in den Hörsälen der neu begründeten Universitäten unterhielt man sich über die geistreichen Gedanken des Copernikus, selbst in den entlegensten Dorfschenken bewunderten die Bauern die mechanischen Kunstwerke des Regiomontanus. Es war, als sei jedermann angeweht worden von dem neuen Geiste, der das gesamte Kulturleben durchdrang. Wie Schuppen fiel es jedem Einzelnen von den Augen und indem er mit hellem Blick sich und seine Umgebung betrachtete, kam er zur Klarheit über sich selbst. In stolzem Selbstbewußtsein, im Vollgefühl seiner Kraft erkannte sich der Mensch als das Ebenbild Gottes. Auch den gemeinen Mann drängte es in jener bildungsbeflissenen Zeit, etwas von dem zu erkennen, was die Welt im Innersten zusammenhält.

Schwengberg, Faustbuch. 4

Es erwachte das Dämonische in der Brust, es rollte
etwas von fauftischem Blut durch die Adern, es wurde
geahnt und gefühlt, was Goethes Fauft erkennt und
ausspricht: „Die Geifterwelt ift nicht verschloffen; Dein
Sinn ift zu, dein Herz ift tot! Auf! bade, Schüler,
unverdroffen die irb'fche Bruft im Morgenrot!" Infolge
deffen achtete man den Gelehrtenstand sehr hoch, von
dem allein Befriedigung des allgemeinen Wiffensdranges
zu erwarten ftand. Einen Gelehrten vollends, der zum
Volke herabftieg und feinen Wünschen begegnete, der das
theoretische Wiffen ins Praktische übertrug, begrüßte die
Menge mit lautem Jubel und hielt ihn aufrecht durch
ihren Beifall. Daß gerade diese Praktiker oft Schein-
gelehrte, Talmitalente waren, verschlug in den Tagen
des Humanismus wenig. — Eigentümlich ift, wie von
dem Gedanken, daß das Wiffen erftrebenswert sei, der
weitere Gedanke unzertrennlich war, daß der Mensch,
um das gewünschte Wiffen zu erlangen, einer außer
ihm liegenden Gewalt, einer magischen Kunft, einer
Beihülfe des Teufels bedürfe. Dem Polytheismus des
heidnischen Altertums war das Studium der Magie als
eine heilbringende Beschäftigung, die Herrschaft über
die vergötterten Naturkräfte als eine göttliche Macht
erschienen, aber schon der Monotheismus des christlichen
Mittelalters hatte jedes magische Treiben als teuflisches
Thun verdammt. Das Christentum predigt den Glauben
an einen Gott, der nach seinem unfehlbaren Ratschluß

die Welt regiert; wer den unerforschlichen Ratschluß zu
erforschen versucht, wer die tiefen, wunderbaren Geheim=
nisse der Natur zu enthüllen bestrebt ist, wer in die
weise Weltregierung miteingreifen zu wollen sich erkühnt,
der fällt von Gott ab und verbindet sich mit seinem
Widerpart, dem Teufel. Zum Lohn für seine Dienste
verlangt der egoistische Höllengeist die Seele des Pacis=
centen und läßt sie sich mit des Clienten eigenem Blute
verschreiben. Aber die Kirche des Mittelalters hatte
dem beängstigten Gewissen noch eine Zuflucht aufgethan, zu
der der Teufel keinen Schlüssel hat. Durch die kirchliche
Vermittelung konnte der reuevolle Sünder noch den Klauen
des gierigen Seelenräubers entrissen und der göttlichen
Gnade teilhaftig werden. — Die Reformation versagt
einem Zauberer solche Vermittelung. Der Protestantis=
mus des sechzehnten Jahrhunderts kennt kein Heilmittel
mehr gegen die Sünde der Zauberei, keine erlösende
Macht für einen mit dem Satan im Bunde stehenden
Zauberer. Ein Theophilus, ein Militarius wurde durch
ein Wort der jungfräulichen Himmelskönigin errettet,
ein Faust verfiel erbarmungslos der Hölle. — Aus diesen
Andeutungen erhellt, daß die Wiedergeburt des Alter=
tums und des Christentums auf die Entwickelung des
Faustmythus einen entscheidenden Einfluß geübt hat.
Ohne den Hintergrund des Humanismus und der Re=
formation wäre das Interesse an der Person des Faust
und an seinen Prahlereien über die Kenntnis der alten

4*

Klassiker, wäre die Beförderung vom Gaukler zum Ge=
lehrten, wäre der Glaube des Volkes an den Bund mit
dem Teufel, wäre die Vorstellung von dem tragischen
Ende schlechterdings unverständlich. — Am meisten frei=
lich ist es Fausts eigenem Charakter zuzuschreiben, daß
er in jenem Zeitalter überschätzt wurde, daß er über sich
selbst hinauswuchs, kurz daß er mehr wurde, als er
war. Ein wanderlustiger Halbgelehrter, ein Renommist
und Taschenspieler, machte er sich auf seinen unausge=
setzten Kreuz= und Querzügen durch freche Aufschneidereien
und ruchlose Streiche in ganz Deutschland mehr oder
minder rühmlich bekannt. Ein ruhmsüchtiger Gaukler
produzierte er sich heute hier morgen da und machte
überall von sich reden. Am gewaltigsten imponierte
er als Magier, und anstatt das Dunkel, das den
Geheimniskrämer zu umweben begann, zu lichten, be=
stärkte er vielmehr den Glauben des Volkes an seine
Wunderkraft, wo er mußte und konnte. Daher hinter=
ließ er vielen Leuten, deren persönliche Bekanntschaft er
gemacht hatte, ein eigenartiges Andenken, eine gewisser=
maßen unheimliche Erinnerung. Geheimnisvoll erzählten
diese weiter, was sie von dem Wundermanne gehört
und gesehen hatten und mehr wie gerne lauschte jung
und alt, hoch und niedrig ihren Erzählungen von den
tollen Possen und Streichen, von den merkwürdigen
Zaubereien und magischen Kunststücken. Bei der dem
Deutschen eigenen Mitteilungssucht wurden die flüchtig

aufgegriffenen Geschichten stehenden Fußes weiter und
immer weiter getragen, so daß Fauſt noch bei Lebzeiten
eine populäre Perſönlichkeit wurde. Es ſcheint, als
hätte der energiſche Proteſt der Gelehrten, denen der
Gaukler ins Handwerk pfuſchte, ihm nur Vorteil ge=
bracht, als wären alle Redereien und Schreibereien des
Tritemius und anderer Zunftgelehrten nur dazu ange=
than geweſen, für den Volksgünſtling Reklame zu machen
und ſein Anſehen zu erhöhen. — Das ohnehin ſchon ſo
rege Intereſſe an Fauſt wurde noch weſentlich geſteigert
durch die Erfindung des tragiſchen Endes. Pflegt doch
der natürliche Tod jedes berühmten Mannes die Auf=
merkſamkeit des Volkes zu erregen, iſt doch das unnatür=
liche Ende eines gewöhnlichen Sterblichen geeignet, viel=
fach von der Menge beſprochen und beurteilt zu werden,
wieviel mehr mußte nicht das plötzliche, unnatürliche
Hinſcheiden des „weitbeſchreyten" Fauſt von dem Manne
reden machen und Veranlaſſung geben zu allerlei Dis=
kuſſionen und Hypotheſen über die Art und Weiſe ſeines
unglückſeligen Endes! Hierdurch wurde der Sage un=
endlich viel neuer Stoff zugeführt und die Entwickelung
des Mythus erſt recht eigentlich in Fluß gebracht. Auf
den Toten wurde weit mehr Material gehäuft als auf
den Lebenden. Wer vom Hörenſagen oder aus eigener
Anſchauung irgend etwas Neues über den Zauberer mit=
zuteilen mußte, wurde mit Freuden gehört, denn es
begann eine wahre Jagd auf Fauſtgeſchichten. In allen

Gesellschaften, berichtet Spies in dem oben zitierten
Briefe, herrschte eine große Nachfrage nach Anekdoten
über Faust, und Gast hat gewiß nicht zur Unzufrieden=
heit seiner Leser mehrere in die convivales sermones
aufgenommen. Thatsächlich war, wie Camerarius ver=
sichert, niemand im Volke zu finden, der nicht irgend
einen Schwank von Faust zu erzählen gewußt hätte.
Der Faustturm zu Maulbronn, wo sich Faust um das
Jahr 1516 beim Prälaten Entenfuß aufgehalten haben
soll, die Bilder in Auerbachs Keller zu Leipzig zeugen
noch heute von der einstigen Popularität des Mannes.
— Selbstverständlich wurden die Faustgeschichten nicht so
weiter erzählt wie sie sich zugetragen hatten, woran teils
der allgemein verbreitete Glaube an Zauberei und Teu=
felei, teils die mit der Mitteilungssucht Hand in Hand
gehende Vergrößerungssucht schuld war. Häufig genug
faßten schon die Augenzeugen, wie Gast zu Basel, in
frommer Einfalt das Geschehene falsch auf, noch häufiger
übertrieben sie in der Darstellung ihrer Erlebnisse. Der
nächste, der das Gehörte weiter berichtete, erlaubte sich
ebenfalls einige Erweiterungen und Zusätze, der dritte
fügte wieder neue frei erfundene Züge hinzu, bis endlich
die natürlichsten, einfachsten Geschichten zu den sonder=
barsten, unerklärlichsten Wunderdingen aufgeputzt wurden.
Gilt ja gerade von der Ueberlieferung durch den Volks=
mund das bekannte Wort, daß aus der Mücke ein Ele=
phant wird. So wird vermutlich ein ganz harmloser

Scherz zu Leipzig die erste Veranlassung gegeben haben
zur Abfassung der beiden Bilder in Auerbachs Hof;
daß dieselben, die die Jahreszahl 1525 tragen, erst in
späterer Zeit entstanden sind, beweist die Erwähnung
von Fausts traurigem Ende in den beigefügten Er=
klärungen. — Eine Zeit lang also begnügte man sich
damit, die Faust eigenen Erzählungen durch willkürliche
Zuthaten bis ins Unglaubliche zu erweitern; als aber
das verhältnismäßig beschränkte Material auf die Neige
ging, begann man auf ihn alle möglichen Geschichten
und Sagen von andern Zauberern zu übertragen, so
daß sich zu dem weitaus größten Teil seiner Thaten
in den Zaubereien früherer Magier Analogieen finden.
Schon Albertus Magnus hatte dem Kaiser Wilhelm
von Holland um die Weihnachtszeit des Jahres 1248
den Palast zu Köln in einen duftigen Blumengarten
verwandelt, schon Johannes Teutonicus war um 1270
durch die Luft geflogen, schon Agrippa von Nettesheim
(1486—1535) hatte den Teufel in der Gestalt eines
schwarzen, zottigen Hundes bei sich gehabt u. s. w.
Aber der eine Faust mußte ausführen, was das ganze
Heer der mittelalterlichen Zauberer geleistet hatte. Ein=
mal in Mode gekommen, mußte er alles auf den Rücken
nehmen, was an Zaubermaterial seit Jahrhunderten ge=
sammelt sich vorfand. Auf diese Weise wurde er der
typische Vertreter der Magie, ein Collectivzauberer, eine

Sammelgestalt für den fleißig zusammengetragenen Anekdotenschatz.

Das ist der Faust, der die wesentlichen Züge für das Volksbuch geliefert hat. Unter den im ganzen Lande über ihn umlaufenden Geschichten und Erzählungen scheint der Verfasser eine beliebige, nichts weniger als methodische Auslese vorgenommen und das Herausgegriffene in unveränderter Gestalt mit bewundernswürdigem Ungeschick aneinander gereiht zu haben. Wie wären sonst die vielen Nähte, die sich häufenden Doppelerzählungen, die nicht vereinzelten Widersprüche zu erklären! Die zweite Unterredung mit Mephostophiles in c. 4 ist eine sinnlose Erweiterung der ersten in c. 3, die Beschreibung der Hölle in c. 16 unterscheidet sich nur durch die entsetzliche Weitschweifigkeit von der in c. 12 und 13 gegebenen, und der mißglückte Racheversuch des Insbrucker Ritters wird in c. 35 und 56, die eilige Verspeisung einer Quantität Heu in c. 36 und 40 anstandslos zweimal aufgetischt. Unbekümmert um die im 2. Kapitel getroffene Verabredung der mitternächtlichen Zusammenkunft beschwört Faust im folgenden Kapitel den Teufel mir nichts dir nichts am nächsten Morgen und im letzten Kapitel finden die Studenten in Fausts Wohnung seine Autobiographie vor, obwohl er vorher davon kein Wort gesagt, vielmehr im 61. Kapitel ausdrücklich dem Famulus Wagner die Beschreibung seines Lebens aufgetragen hat. — Aus dem handwerksmäßigen Verfahren des Verfassers

ist auch die unglückselige Verschiedenheit in der Auffassung
herzuleiten. Bei dem starren Festhalten an der Tradition,
wo höhere und niedere Auffassungen bunt durcheinander
gewürfelt waren, konnte auch im Volksbuch das Bild
kein einheitliches werden. In den meisten Particen ist
Faust der ganz gemeine Zauberer, der wollüstige, genuß-
gierige Epikureer, der unter den in c. 4 aufgestellten Bedingungen sich dem Teufel verbindet, um grobe Prelle-
reien zu verüben und ein lustiges Leben zu führen. Er
verzehrt eine Wagenladung Heu, verkauft in Schweine
verwandelte Strohbündel, betrügt seinen Gläubiger, trinkt
fremder Leute Weine, führt einen liederlichen Lebens-
wandel und dergl. Dagegen stellen ihn andere Teile
dar als den wissensdurstigen, hochstrebenden Gelehrten,
den, wie die Forderungen des 3. Kapitels beweisen, das
ungebändigte Streben nach unbegrenzter Erkenntnis be-
stimmt, mit dem Teufel gemeinsame Sache zu machen.
Der mächtige Forschertitan gleicht den himmelstürmenden
Giganten, hatte sich „fürgenommen die Elementa zu spe-
culieren, name an sich Adlers Flügel, wolte alle Gründ
am Himmel vnd Erden erforschen" und wendet sich an
Mephostophiles mit ungezählten Fragen aus dem Gebiete
der Theologie und Naturwissenschaft. Auf einem Zaubermantel wird er in fremde Länder getragen, wird auch
in die Hölle und in den Himmel geführt und sieht „im
ewigen Abendstrahl die stille Welt zu" seinen „Füßen,
entzündet alle Höh'n, beruhigt jedes Thal, den Silberbach

in goldne Ströme fließen". — Endlich ist durch die sklavische Wiedergabe der mündlichen Tradition auch der stete Wechsel im Stil herbeigeführt, denn anscheinend sind die Geschichten in eben derselben Fassung aufge= nommen worden, wie sie die Ueberlieferung bot, ohne Rücksicht darauf, daß diese Erzählung völlig anders ge= staltet war als jene.

Mit welch rührender Engherzigkeit der Verfasser bei der Verarbeitung des Materials zu Werke ging, tritt bei der Benutzung der litterarischen Berichte noch klarer zu Tage. Zu bequem oder zu unfähig, unter dem Ge= botenen eine weise Auswahl zu treffen, nahm der Au= tor eine Anzahl schriftlich fixierter Erzählungen höchst gedankenlos herüber, ohne sich zu genieren, erst manche auf Faust zu übertragen. Was Luther in den Tisch= reden*) von Wildfeuer, einem Mönch und zwei anderen Zauberern berichtet, ist in den c. 36, 40, 38 und 34 des Volksbuches weiter ausgeführt und dem Faust in die Schuhe geschoben; was Lercheimer in seinem „Christ= lich Bedencken vnd Erinnerung" c. 13, 15 und 19 von Faust erzählt, ist in den c. 45, 52 und 53 der Historia wiedergegeben. Es sind dies die Erzählungen, wie Faust den Kellermeister des Bischofs von Salzburg auf eine Tanne setzt, wie er von einem alten Mann ermahnt

---

*) D. Martin Luthers Tischreden oder Colloquia. Nach Aurifabers erster Ausgabe herausgegeben von Karl Eduard Förste= mann. Leipzig 1844—1848. III, p. 97 und 100.

wird und ihm zum Dank einen bösen Geist auf den
Hals schickt, der aber dem gottesfürchtigen Alten kein
Leid anzuthun vermag, und wie er sich zum zweiten
Male dem Teufel verschreibt. Durch Uebertragung auf
die Person des Faust und Verbreiterung der bei Ler=
cheimer in c. 8 dem Tritemius zugeschriebenen Zauberei
ist das 33. Kapitel des Volksbuches entstanden, wo Faust
die Erscheinung Alexanders hervorruft. Hier liegt ein
recht drastisches Beispiel dafür vor, zu welch abgeschmackten,
sinnlosen Consequenzen solche unüberlegte Modifizierung
führen kann. Lercheimer berichtet, der Abt Tritemius
habe vor Maximilian I. seine verstorbene Gemahlin
Maria von Burgund erscheinen lassen und der Kaiser
habe daran die Echtheit der Erscheinung erkannt, daß
„sie ein schwarz fäcklein zu hinderst am Halß gehabt“
habe. Das Faustbuch meldet, Faust habe Karl V. die
Gestalten Alexanders des Großen und seiner Gemahlin
hervorgezaubert und der Kaiser habe sich von der Treue
der Bilder überzeugt durch das Auffinden einer großen
„Warzen hinden im Nacken“ der weiblichen Gestalt. Wie
thöricht übertragen! Wenn auch der Wunsch Karls, den
Alexander Magnus mit Augen zu sehen, in den Zeiten
des Humanismus ebenso natürlich ist wie das Verlangen
der Studenten, die troische Helena zu schauen, so ist doch
die Sehnsucht nach der geschichtlich ziemlich gleichgültigen
Gemahlin Alexanders, die nur durch eine Verwechselung
mit Maximilians Gemahlin hereingekommen sein kann,

sehr unnatürlich. Vollends widersinnig ist das bei
Maximilian und seiner herzlieben Gemahlin wohl be=
gründete Motiv auf Karl V. angewendet, der Alexanders
Vermählte an einem Male erkennt!

Außer aus diesen beiden stärker und schwächer fließenden
Quellen der mündlichen Tradition und der schriftlichen
Berichterstattung*) will der Redaktor bei der Zusammen=
stellung der Historia noch aus Fausts „eygenen hinder=
laſſenen Schrifften" geschöpft haben. Er beteuert, die in
c. 24 und 25 mitgeteilte Höllen= und Himmelfahrt sei
von dem Helden selbst beschrieben und „hinder jm ge=
funden", die beiden Verpflichtungen (c. 6 und 53) seien
„nach seinem elenden Abschied, in seiner Behausung" ent=
deckt worden und die Klagemonologe (c. 63 und 64)
habe er aufgezeichnet, „damit es nicht vergessen möchte".
Um dies glaubhafter zu machen, muß Faust von der
ersten Obligation eine Kopie nehmen, müſſen die Studenten
auf seine eigenhändig geschriebene Biographie stoßen.
An sich wäre es nicht unmöglich, daß dem Autor einige
angeblich von Faust herrührende Schriftstücke zugekommen
sein könnten, aber der in den in Rede stehenden Kapiteln
angeschlagene, in der Historia so vielfach beliebte trockene
Ton, die jeder Erzählung folgende salbungsvolle Moral=

***

*) Für die von Hermann Grimm aufgestellte Behauptung,
daß dem Verfasser auch die Konfessionen des Augustin vorgelegen
haben müssen, liegt meiner Ansicht nach ein zwingender Grund
nicht vor.

prebigt, bie ganze Anlage berfelben machen es wahr=
scheinlich, baß der Verfasser biese für ihn hochwichtigen
Partieen bem Fauft in ben Munb legte, um ihnen größeren
Nachbruck zu verleihen, um auf fie bie ganz fpezielle
Aufmerkfamkeit ber Lefer zu lenken.

Mit mehr Fug unb Recht kann als britte Quelle,
wenn man will, bes Kompilators eigener Sinn unb
Geift betrachtet werben, ber bem gegebenen Stoff nicht
unwefentliche Veränberungen unb Erweiterungen ange=
beihen ließ. Seinen Namen zwar verbirgt ber Speierfche
Anonymus in weifer Vorficht, aber feinen Stanb unb
feine Abficht verrät er in beinahe jebem Kapitel. Die Be=
rufung auf Johannes Franciskus Picus unb Hugo Clunia=
cenfis, bas Verfprechen, in kurzem eine lateinifche Aus=
gabe ber Hiftoria zu veranftalten, bie vielen eingeftreuten
lateinifchen Brocken (bie Übergänge liefert ein item ober
ad propositum, ber Teufel wirb befchworen mit voca=
bulis, figuris, characteribus, incantationibus unb
coniurationibus), bas Spiel mit lateinifcher Synonymik
(bie Hölle wirb aus biefem unb jenem Grunb auch ge=
nannt carcer, damnatio, pernicies, exitium, confutatio,
condemnatio, „Petra, ein Felß, vnnb ber ift auch etlicher
maffen geftalt, als ein Saxum, Scopulus, Rupes vnb
Cautes, alfo ift er“), bie Erklärung ber Stäbtenamen
(Straßburg wirb fo genannt „von vile ber Wege, Ein=
gäng vnb Straffen,“ Bafel „fol ben Namen von einem
Bafilißken, fo allba gewont, haben,“ Konftantinopel „hat

.

jren Namen von dem groſſen Keyſer Conſtantino"), die
Aufſtellung der Stammtafel Helenas ("Menelai Hauß=
fram, oder Tochter Tyndari vnd Laedae, Castoris vnd
Pollucis Schweſter") weiſen auf einen Gelehrten als den
Verfaſſer. Den ſchnellen Fortſchritten der Naturwiſſen=
ſchaften iſt er freilich nicht gefolgt, denn von der Ent=
deckung des Columbus weiß er ſo wenig wie von dem
Syſtem des Copernikus. Fauſt ſieht auf ſeiner Reiſe
gen Himmel "die ganze Welt, Aſiam, Aphricam vnnd
Europam" unter ſich liegen und "von dem Mond an,
biß an das Geſtirn, iſt alles Feuwrig, Dargegen iſt die
Erden kalt vnnd erfroren, Dann je tieffer die Sonne
ſcheinet, je heiſſer es iſt, das iſt der Vrſprung deß
Sommers, Stehet die Sonne hoch, ſo iſt es Kalt, vnd
bringt mit ſich den Winter". Sobann ſprechen die zur
Beſtätigung des Geſagten bis zum Überbruß oft gewaltſam
herbeigezogenen bibliſchen Beiſpiele und Zitate, ſpricht
die der Erzählung der meiſten Geſchichten beigegebene
kritiſche Beleuchtung nach poſitiv proteſtantiſchen Prinzipien,
ſpricht der ganze Geiſt der Hiſtoria für einen Theologen
ſtrengſter lutheriſcher Richtung. Man fühlt deutlich
heraus, daß eine objektive Lebensbeſchreibung von Fauſt
nicht der eigentliche Zweck des Buches iſt, ſondern nur
als Mittel dient zu dem Zweck, vor dem Bund mit
dem Teufel zu warnen. Der allgemein beliebte, volks=
tümliche Stoff der Fauſtſage ſollte gewiſſermaßen ·nur
die ſüße Schale bilden um den für viele bitteren Kern

der theologisch-didaktischen Tendenz. Daher kam bei der Verarbeitung des aus rein praktischen Rücksichten gewählten Stoffes den schwachen Kräften des geistlichen Verfassers nicht einmal der gute Wille, die rechte Liebe zur Sache zu Hülfe. Als Nebensache wurde der Stoff nebenher abgethan und mit stiefmütterlicher Gleichgültigkeit behandelt, als Mittel dem Zweck untergeordnet und diesem entsprechend umgeformt und verändert. Die Beschwörungs= formeln sind weggelassen, um niemand zur Nachfolge zu reizen; Fausts Heiratsprojekt ist hinzugefügt, um den Widerwillen des Teufels gegen den von Gott gestifteten Ehestand ins Licht zu setzen. Auf seiner Erdenreise wird Faust in Rom und Konstantinopel ein längerer Aufenthalt bewilligt, damit der unduldsame Pastor seinem Haß gegen den Katholizismus und Muhamedanismus gründlich Luft machen kann. In Rom mißbraucht Faust die Einrichtung des Ablasses und der Messe, beneidet den Papst um sein „fressen" und „sauffen" und bricht in die derblutherischen Worte aus: „Diese Schwein zu Rom sind gemästet, vnd alle zeitig zu Braten vnd zu Kochen"; in Konstantinopel erscheint er als Mahomet „im Ornat vnd Zierde eines Bapsts", verspottet die kirchlichen Ceremonieen und macht den Türkenkaiser lächerlich. In echt theologischem Sinn werden Fausts Eltern, die auch des Sohnes Greuelthaten nicht mehr erleben, entschuldigt, werden die gedankenarmen Klagemonologe des Helden und seine Mahnrede an die Studenten, werden die in=

haltleeren Vorträge des Mephostophiles über das Jenseits unendlich weit ausgesponnen. Nach einer langen, graufigen Beschreibung der Hölle wird versichert, sie spotte jeder Beschreibung, sie sei „also beschaffen, daß es vnmöglich, sie außzuspeculieren" vnd der Teufel sei „nicht allein für sich ein abtrünniger, verkehrter vnd verdampter Geist, durch seinen Hoffart vnd Abfall von Gott worden, Sondern ist auch ein abgünstiger, listiger vnd verführischer Geist, Gottes vnnd des Menschlichen Geschlechts wissentlicher vnd abgesagter Feindt, der weder Gott seine Ehr bey den Menschen, noch den Menschen Gottes Huldt vnnd Seligkeit günnet". Seinen gefährlichen Versuchungen könne man nur dadurch erfolgreichen Wider= stand entgegensetzen, daß man nicht „fürwitzigen, frechen und kecken" Gedanken nachhänge; wer so hochstrebenden Sinnes sei wie Faust, müsse unbedingt unterliegen. Dieser hat neben dem „zum studiern qualificierten" einen „thummen, vnsinnigen vnnd hoffertigen Kopff" gehabt, „ward ein Weltmensch" und begann, „das zulieben, das nicht zu lieben war, dann sein Fürwitz, Freyheit vnd Leichtfertigkeit stache vnnd reitzte ihn also", daß er sich endlich entschloß, den Teufel zu beschwören. Um sich auch der Tragweite seiner Handlung vollkommen bewußt zu sein, muß der Teufelsbeschwörer erst in Wittenberg Theologie studieren; so kannte er „die Regel Christi gar wol: Wer den Willen deß HERRN weiß, vnd thut in nicht, der wirдd zwyfach geschlagen"; weil er sie aber in den Wind schlug

und „seine Seel ein weil vber die Vberthür sezte, darumb
bey ihm kein entschulbigung seyn sol". — In Wittenberg
muß Faust studieren, nicht allein weil Wittenberg damals
die deutsche Central=Universität war, die Shakespeare
sogar den Dänenprinzen Hamlet besuchen läßt, sondern
hauptsächlich, weil er badurch auch lokal Luther nahe
gerückt wird, zu dem er eine Art Gegenstück bilden soll:
Dem bemütigen Gottesverehrer soll der freche Gottes=
verachter gegenübergestellt werden. Luther glaubte ebenso
fest an einen persönlichen Teufel wie Faust; an ihn
brängte sich der listige Höllengeist noch leidenschaftlicher
als an diesen, aber anstatt ihm einen Kontrakt zu unter=
zeichnen, warf er mit dem Tintenfaß nach ihm. Luther
wurde ebenfalls von unheilvollen Zweifeln gepeinigt, doch
führen sie bei dem glaubensstarken Mann nicht zum
Bund mit dem Teufel, sondern zur Begründung und
Läuterung seines Gottvertrauens. Luther verehrt die
Bibel als die ungetrübte Quelle reiner Wahrheit, während
Faust sie „hinder die Thür onnd onter die Banck" wirft.
Luther empfiehlt die Ehe als „Gottes Ordnung und
Stiftung" und schließt selbst den Bund der heiligen Ehe,
Faust dagegen entweiht sie burch Buhlschaft und ruht
nicht eher, als bis er das schönste Weib aller Zeiten in
seine Arme geschlossen. Um den Gegensatz noch schärfer
zuzuspitzen, wird der Schauplatz von Fausts Wirken
nach Wittenberg verlegt; wo Luther gelehrt und gelebt
hatte, eben daselbst mußte auch der Antiluther seine

Studien gemacht und sein Wesen getrieben haben. In der Nähe von Weimar geboren *), kommt er in früher Jugend nach Wittenberg, befleißigt sich der Theologie und erwirbt an derselben Hochschule den Doktorgrad **). Kaum hat er in Krakau, das aus der Überlieferung beibehalten wird, um die Wittenberger Universität nicht zu kompromittieren, das Studium der Magie beendet, als er in die Lutherstadt zurückkehren muß, um von hier aus seine Laufbahn zu eröffnen. In Wittenberg war auch sein Haus gelegen „neben deß Gansers vnd Veit Robingers Hauß, bey dem Eysern Thor, in der Scher= gassen an der Ringmawren", in Wittenberg spielen, wenn irgend möglich, die Zaubergeschichten; in Wittenberg werden die großartigen Reisen begonnen und beschlossen, in der Nähe von Wittenberg erfolgt auch das jähe Ende. — Derartige Umgestaltungen der überlieferten Berichte nahm der geistliche Verfasser vor, um Faust als ein großes Gegenbild zu Luther hinzustellen, um an ihm ein warnen= des Beispiel zu statuieren, daß kühne Selbstüberhebung und eigenmächtige, nicht mit frommem Glauben gepaarte Forschung den Menschen zum Pakt mit dem Teufel und zu ewiger Verdammnis führe.

Mag man sich nun immerhin mit der ganzen An=

---

*) Noch bei Lercheimer stammt Faust aus Knüttlingen.

**) In Wittenberg prüft man „neben jm auch 16 Magistros, denen er im Gehöre obgelegen" war; in Heidelberg bestand Johannes Faust als der erste unter 16 Geprüften das Examen.

lage der Hiftoria und dem fie durchwehenden Geifte nicht befreunden können, mag man den Verfaffer möglichft kunftlofer, ungefchickter Verarbeitung des gebotenen Materials zeihen und die Verwendung deffelben zur Umhüllung der theologifchen Tendenz mißbilligen: ein Verdienft werden wir von der Höhe dreier Jahrhunderte herabfchauend dem Redaktor zuerkennen müffen, das er fich erwarb, ohne es felbft zu wiffen und zu wollen: Er hat durch die Abfaffung eines Fäuftbuches die Fauft= fage vor dem drohenden Verfall oder völligen Untergang bewahrt, er hat den Grund gelegt für die gefamte litterarifche Entwickelung der Fauftidee. Noch in dem= felben Jahre wurde die Hiftoria umgearbeitet, im folgenden in Reime gefetzt, 1590 durch die herrlichen Erfurter Gefchichten glücklich bereichert, kurz bis zum Ende des Jahrhunderts vielfach neu aufgelegt. Georg Rudolf Widmann verbreitete zwar das Buch 1599 durch weitfchweifige „Erinnerungen" zu drei Bänden und Johann Nicolaus Pfitzer entftellte es 1674 durch weitere Zuthaten bis zur Unkenntlichkeit, aber ein „Chriftlich Meinender" kleidete es 1728 wieder in eine anfprechende Form. Die erfte dramatifche Bearbeitung des Fauft= buches unternahm noch vor 1590 der große, wahrhaft fauftifch angehauchte Vorgänger Shakefpeares, Chrifto= pher Marlowe. Das durch und durch echt dramatifche Bühnenwerk brachten englifche Komödianten nach Deutfch= land zurück und unter ihren Händen entwickelte fich die

5

Tragödie zu dem beliebten Volksdrama, das Lessing am 14. Juni 1753 in Berlin sah. Einer Aufführung des Stückes wohnte auch Goethe 1770 in Straßburg bei und es ist unleugbar, daß Pfitzers Faustbuch oder das des Christlich Meinenden einerseits und das Volks= schauspiel andererseits den Dichter zur Conception seines großartigsten Werkes anregte und ihm das notwendige Material lieferte. So wurde das Epics'sche Faustbuch die unmittelbare Quelle für alle epischen und drama= tischen Bearbeitungen des Fauststoffes im sechzehnten und siebzehnten, die mittelbare Quelle für Goethes geniale Schöpfung im achtzehnten und neunzehnten Jahr= hundert.

Gedruckt bei Ernst Müller, Berlin N., Friedrich=Straße 105n.